Cyflwynedig i:

Erin Haf, Morgan Rhys, Mali Celyn
ac yn arbennig y tro hwn i'r newydd ddyfodiad, Elis Wyn
... ond dim ond ar yr amod na fyddant yn mynd ati i'w darllen
nes bod o leia'n ddeuddeg oed!

Nodyn

Casgliad sydd yma o fyfyrdodau yn ymwneud â'r Nadolig a'r Flwyddyn Newydd. Cyhoeddwyd rhai o bryd i'w gilydd mewn ambell gyfrol o'r eiddof ar hyd y blynyddoedd. Darlledwyd rhai ar Radio Cymru, ymddangosodd eraill mewn papur a chylchgrawn ac mae ambell un yn gweld goleuni dydd am y tro cyntaf. Corlannwyd y cyfan ynghyd yn gyfrol fechan yn y gobaith y byddant o beth diddordeb i ambell ddarllenydd ar ddiwedd blwyddyn arall fel hyn. Yng ngeiriau'r diweddar J. T. Jones:

Rhoed pob sbrigyn celyn coch
Ei annirnad wên arnoch!

William Owen
Borth-y-gest, Hydref 2017

Sbrigyn o Gelyn Coch

dathliadau'r Nadolig

William Owen

Argraffiad cyntaf: 2017

Rhif rhyngwladol: 978-1-84527-613-3

Cynllun clawr: Eleri Owen
Llun ar dudalen 13 drwy garedigrwydd Arwyn Roberts
Lluniau dathliadau Nadolig Caerdydd drwy garedigrwydd Croeso Cymru

Mae'r cyhoeddwr yn cydnabod cefnogaeth ariannol Cyngor Llyfrau Cymru

Cyhoeddwyd gan Wasg Carreg Gwalch,
12 Iard yr Orsaf, Llanrwst, Cymru LL26 0EH
Ffôn: 01492 642031
e-bost: llyfrau@carreg-gwalch.com
lle ar y we: www.carreg-gwalch.com

Cydnabyddiaeth

Diolchir yn llaes i'r Cyngor Llyfrau am ei nawdd i'r gyfrol, i Myrddin ap Dafydd am ymddiried ynof unwaith yn rhagor, i Nia Roberts, y golygydd y buom yn cydweithio mor gytûn a hapus â'n gilydd i lyfnhau'r deunydd ac i Susan am ei gofal a'i dyfalbarhad arferol wrth baratoi'r cyfan ar gyfer ei gyflwyno i'r cyhoeddwr. Mor ddyledus wyf i bob un heb anghofio chwaith yr aelodau hynny o Wasg Carreg Gwalch a fu'n gyfrifol am gynhyrchu cyfrol mor lân a hyfryd ei diwyg.

W.O.

Cynnwys

Rhigwm acrostig

Noson yn nhrymder gaea'
A'r adar bach yn fud,
Doethion yn dilyn seren
O'r dwyrain dri ynghyd.

Loetran hwnt ac yma
I holi ple ganed Ef,
Garw fu'r daith hyd drothwy
Llwm lety Bethlehem dref

Aur, thus a myrr yn rhoddion
Wrth blygu ger y gwair
Ei gyfarch yn Waredwr
Nefolaidd faban Mair.

Nadolig Llawen

Perfformiad y pnawn

Dau gariad oedden nhw, Osian Rhys a Liwsi Haf. Roedd o'n tynnu am ei dair, hithau ychydig wythnosau yn iau, a'r ddau wedi clicio cyn gynted â'u bod wedi taro ar ei gilydd rhwng y Lego a'r clai ar lawr yr Ysgol Feithrin. Mewn dim yr oedden nhw'n fwy clòs nag a fu'r un Romeo a'i Jiwliet, neu Drystan a'i Esyllt, erioed. A phan ddaeth hi'n amser paratoi ac ymarfer ar gyfer y perfformiad o ddrama'r geni ar ddiwedd tymor y Nadolig, roedd hi'n amlwg mai fo, Osian Rhys, gâi ei gastio fel Joseff a hithau Liwsi Haf fel Mair. Onid oedden nhw'n ffitio fel maneg rywsut?

Mwy o feim oedd y perfformiad i fod mewn gwirionedd ond bod pob un o'r cymeriadau – Joseff, Mair, y bugeiliaid, gŵr y llety a'r doethion – â rhyw strytyn byr i'w ddysgu a'i draethu. Dim byd uchelgeisiol, cofiwch, ond eu bod wedi'u gwisgo'n briodol ar gyfer yr achlysur.

Perfformiad y prynhawn oedd o i fod, *matinee* felly, ac roedd aelodau'r staff yn eu doethineb wedi rhoi cam diplomatig pwysig drwy wahodd nid yn unig y mamau ond y neiniau'n ogystal i'r sioe. Ar ben hynny roedd pob nain, heblaw ei bod hi'n ymwrthod ar dir cydwybod, i gael bisgeden a gwydryn bach o sieri ar y diwedd yn y fargen. A pham lai? Roedd hi'n Ddolig wedi'r cwbl. Nid sieri Amontillado, cofiwch, na'r Croft Original hwnnw, na Hufen Bristol, ddim hyd yn oed peth o gynnyrch cwmni Harvey, ond llymaid o'r bytholwyrdd Emva Cream. Beth yn enw pob rheswm y mae rhywun yn disgwyl ei gael am ddim yn hyn o fyd, yntê?

Bu'n rhaid prynu tywel rhesog melyn a choch o Tesco i wneud gorchudd pen dwyreiniol ar gyfer y prif gymeriad, a chafodd yn ogystal fenthyg ffon ei hen Yncl Bob i fod yn rhan o'i regalia. Er i hynny fod yn achos penbleth i ambell un o'r gynulleidfa hefyd: doedd Joseff erioed, barnwyd, wedi mynd mor fusgrell fel bod angen ffon arno i bwyso arni pan anwyd y baban yn stabal Bethlehem? Ond dyna fo, roedd gan gyfarwyddwr y ddrama siŵr o fod bob hawl i ddehongli'r sefyllfa yn union yn ôl ei weledigaeth ei hun.

Roedd y perfformiad oddeutu deng munud yn hwyr yn dechrau ond yng nghyflawnder hir yr amser agorwyd y llenni a thywyswyd yr actorion o flaen y gynulleidfa. Yn wir, rhoed iddynt gymeradwyaeth frwd a byddarol cyn i'r un ohonynt yngan yr un gair bron.

Cerddodd Osian Rhys i flaen y llwyfan gan gyhoeddi ar ucha'i lais:

'Joffes wyf fi.'

Daeth lwmp bron a'i thagu i wddf ei nain.

'A dyma Mair.'

Ni chaed yr un ymateb gan Mair. Fe safai hi yno fel petai wedi ei syfrdanu a'i pharlysu.

'A dyma Mair,' cyhoeddodd Joseff eilwaith yn lled ddiamynedd.

Dim un gair gan Mair wedyn chwaith.

'W... W... wel shiaiad rwbath,' chwyrnodd yntau drachefn, ar fin colli'i limpin braidd. Ond doedd Liwsi Haf ddim am ymateb i'r ciw.

Rhythodd Joseff i gyfeiriad un o'r athrawesau a'i sibrwd yn diasbedain dros y meinciau:

'Anti Ann! Neith Liwsi Haf ddim shiaiad!'

Yna, â'i lygaid yn melltennu trodd at ei brif actores a chan weiddi'n ffyrnig yn ei hwyneb rhoddodd ysgytwad dda iddi.

'Shiaiad rwbath, yr hen ffŵl iti!'

Canlyniad hynny fu i'r argae dorri'n syth fel ei bod hithau wedyn yn sefyll yno'n wylo'n hidl ac yn galw 'Mami!' nerth esgyrn ei phen drwy ei dagrau.

Sôn am ysbryd y Nadolig. Sôn am dymor ewyllys da! Mair yn llawn ei helynt ac yn ei thrueni wrth y preseb gyda'i baban, wedi ei darostwng druan yn *battered wife*, os mai hynny yw'r term ffasiynol am y peth.

Daeth Anti Ann ac Anti Luned i'r adwy ac arweiniwyd yr holl gast oddi ar y llwyfan i'w paratoi ar gyfer rhoi ail gynnig arni bum munud yn ddiweddarach.

'Yr hen dinllach bach drwg iti,' ceryddodd ei fam. 'Ffôr shêm iti am ysgwyd Liwsi Haf fel'na.'

Rhuthrodd ei nain i'w amddiffyn.

'Bendith y Tad, cofia faint ydi oed y mwrddrwg.'

Ond chwarae teg, ni fu rhwystr o gwbl yr eilwaith ac fe gaed perfformiad i'w gofio. A phawb yn brolio'r Emva Cream ar y terfyn.

'Y petha bach diniwed,' meddai nain Liwsi Haf wrth nain Osian Rhys a hwythau ar eu ffordd adre, 'tybed be fydd 'u hanes nhw mewn ugain mlynedd?'

'Wn i ddim,' atebodd hithau, 'ond mae un peth yn syrtan sicir i ti – fyddan nhw

bryd hynny ddim isio rhyw ddwy hen iâr fflegan dros eu pedwar ugain fel ni'n dwy ar 'u cyfyl nhw.'

Chwarddodd y ddwy yn harti.

Roedd digwyddiadau'r prynhawn wedi llethu Osian Rhys yn lân, ac erbyn pump o'r gloch roedd o'n crefu am fynd i'w wely. Fe'i cariwyd i fyny'r grisiau ym mreichiau ei fam.

'Wyt ti wedi anghofio rwbath?' meddai hi wrtho fel yr oedd y bychan ar fin neidio i'r ciando.

'Anghofio be?'

'Be am yr "Ein Tad" ...'

'O, ia.'

Penliniodd yn anfoddog wrth yr erchwyn gan gymryd arno gau un llygad yn unig. Braidd yn fuan oedd hi, debyg, i ddisgwyl i greadur teirblwydd wrth iddo ddechrau tynnu ar raffau'r addewidion wybod ei bader hefyd, a chael ei gonsgriptio i ddweud gair o'r frest y byddai o fel arfer.

'Diolch iti Iesu Grist am Mam ...

... a Dad ...

... a Nan fy chwaer ...

... Diolch i ti am ...

... Nain ...

... a Hannah ... (y gath oedd Hannah)

... a Tedi ...

... a Wiwi ... (rhyw lygoden glwt bur anolygus oedd honno)

... a'r pysgodyn aur ...

... ac am Liwsi Haf ... sori Iesu Grist am ysgwyd Liwsi Haf ...

... a diolch i Ti hefyd am ... am ... am simdda ... Amen.'

Drwy gicio a brathu roedd cariad wedi bod yn prysur fagu drwy'r cyfan. Roedd y pechadur edifeiriol bellach wedi carthu'i gydwybod yn lân, ac er bod ei rieni wedi ei chau hi ers pan roeson nhw wres canolog yn y cartref yn ystod yr haf blaenorol, yr oedd yn rhaid rhoi diolch am y simdda'n ogystal.

Y funud honno, gwawriodd ar ei fam y byddai'n rhaid iddyn nhw stryffaglio i'w hailagor hi drachefn. Pa ffordd arall, wedi'r cwbl, ond drwy'r simdda y gallai'r hen Santa ddod i mewn i'r tŷ?

Ac ar y ddaear, tangnefedd?

Rhowch bythefnos iddi a bydd yr holl rialtwch drosodd – a ninnau'n dlotach o gannoedd o bunnoedd, onid miloedd yn achos rhai, ac wedi'n hudo unwaith eto i ildio i'r lloerigrwydd cwbl hurt sy'n rhan mor annatod o Nadolig y mwyafrif ohonom bellach.

Ddeuddydd neu dri wedi'r ŵyl, mae dyn yn siŵr o gynnal y sgwrs arferol â'i gymydog:

'Sut Ddolig wnaeth hi?'

'Eitha, w'chi ... digon tawel yntê ... ond digon fyth i'w fwyta ...'

'Ac i'w yfad, debyg?'

'Wel ia. Hynny ydi, os ydach chi ffansi peth felly, wrth gwrs ...'

Aiff rhagddo i raffu'r ystrydebau arferol cyn gorffen gyda'r hen, hen sylw, 'cofiwch chi, amser i blant ydi o yn y pen draw yntê. Dydi 'Dolig ddim yn Ddolig heb blant o gwmpas nac'di? Dyna be fydda i'n ei ddeud wastad ...'

A choelia i fyth nad ydi'r sawl sy'n gwneud datganiad o'r fath o'i chwmpas hi yn rhywle. Coffa da am y cyfnod hwnnw gynt pan oedd y ddau acw yn ifanc iawn. Roedd y cardiau wedi eu prynu'n rhad y flwyddyn honno mewn siop elusen ddiwedd Gorffennaf, a'r ohebiaeth gyntaf rhwng ein tŷ ni a'r hen Santa wedi ei chychwyn ar nos Wener lawog bythefnos cyn y Diolchgarwch. Dim ond llythyr byr i restru'r anghenion, fel petai. Ymhellach ymlaen y rhoddid ar ddeall y byddent wedi gadael gwydryn o Goca Cola a mins pei iddo ar fwrdd y gegin ynghyd â moronen i bob un o'r ceirw. Dim ond i bawb helpu'u hunain wedi iddo wagio'r sach, felly.

Yn wir, buom yn ei weld gymaint â theirgwaith yn ystod yr wythnosau canlynol. Ym Mhwllheli, rhoddodd lond bocs o flociau coch a gwyrdd i'r ddau fel rhyw fath o damaid i aros pryd – er ein bod ni a nhwtha yn methu'n lân â dirnad pam yr oedd Santa o bawb, un a oedd yn ddihareb am fod yn berchen llaw fawr agored, yn codi ffiffti-pi ar bob copa walltog o blith y plant oedd am fynnu'r fraint o gael gair efo fo. Ond dyna fo, hen fyd felly oedd o erbyn hynny, decini.

Sylwodd un ohonyn nhw hefyd fod yr hen ŵr wedi twchu cryn dipyn erbyn iddo symud i Gaernarfon – yn wir, wedi magu ychydig o gorpareshion. Nid yn unig

N MARCHE
RATTLE

hynny, ond roedd wedi colli ei Gymraeg bron yn llwyr erbyn iddo gyrraedd Bangor. A bu gofyn i minnau geisio egluro iddynt mai rhyw hen le digon Seisnigaidd ei hoedl fu Bangor erioed! Ond fe fynnodd fynd rhagddi i gwestiynu yn eitha caled:

'A doedd 'i fafr o chwaith ddim yn sownd fel un Pwllheli.'

'Barf, cariad ... nid bafr.'

'Pam nad oedd'i fafr o yn sownd, 'ta?'

'Hidia di befo, cyw, hwyrach mai chdi oedd wedi camgymryd, w'sti.'

'Naci, roedd Miriam yn 'rysgol yn deud yr un peth yn union.'

Bu'n rhaid bygwth, ambell amser gwely yn ystod wythnosau hirion Tachwedd, na ddôi o ddim, er mai dŵad wnaeth o er gwaetha popeth. Mae'n wir ei bod hi'n ben set arno'n cyrraedd, a hithau'n tynnu am hanner awr wedi pedwar y bore – ond beth oedd i'w ddisgwyl, chwarae teg, ac yntau wedi cael noson mor eithriadol brysur? Ac fe gyflawnodd bob addewid hefyd, pob parch iddo: tŷ doli, barcud gwynt, offer chwarae siop, desg, siwt nyrs , Kermit ac ati i'r hyna', top mawr coch yn gwneud sŵn grwnian, tedi bêr, cwningen las, jac-codi-baw, Wurzel Gummidge ac eroplên, comet neu goncord (ni chofiaf yn union prun) i'r fenga. Treuliwyd y rhan helaetha o weddill y bore'n dadlwytho'r sacheidiau o'r anrhegion eraill a gaed gan deulu a chydnabod. Digon o jig-sôs i agor ffatri, o glai ac o flociau i godi pyramidiau ac o frwshys a phaent i beintio'r holl bentre. Ond methiant llwyr fu'r cinio. Roedden nhw wedi claddu gormod o gnau a siocledi, taffis a dêts a phob nialwch i allu meddwl am dwrci.

'Maen nhw'n siŵr o lyngyr,' sylwodd eu nain. 'Sgin ti asiffeta yn yr hen dŷ 'ma?' gan ychwanegu'n sorllyd, 'Nagoes m'wn.'

Doedd hynny ond dechrau gofidiau. Yn gynnar yn y pnawn dechreuodd y fenga ddiberfeddu'r eroplên a rhwygo'r peilot plastig o'i sêt. Efallai iddo ei lyncu. Rhoed dôs o fagnesia iddo'n syth, rhag ofn.

Gwaeth fyth oedd yr argyfwng nesa. Ffansïodd yr hyna jac-codi-baw y fenga a'i gipio oddi arno. Ymatebodd yntau'n ffyrnig drwy fwrw ei Chermit hi allan drwy'r drws cefn. Dialwyd cam Kermit drwy sathru Wurzel Gummidge ar lawr. Yna, fe gymerodd hi'r gyfraith yn llwyr i'w dwylo ei hun drwy geryddu ei brawd a thynnu yn ei wallt. Cesiodd yntau ei brathu hithau yn ei braich. Hyrddient yr enllibion erchyllaf at ei gilydd. Cyhuddo! Stormio!

Strancio! Blagardio! Crio! Llygad am lygad! Dant am ddant! Roedd pobl o Saigon i Felffast yn galw triws dros y Dolig ... ar y ddaear, tangnefedd ... ym mhobman ond yn ein tŷ ni.

Cafodd rhywun y syniad y gallai'r teli ddod i'r adwy i ddatrys yr argyfwng ac adfer yr heddwch. Beth am wylio'r syrcas? Protestiai'r fenga fod arno ofn y clown. Newid drosodd i BBC2. Nid oedd *Swan Lake* yn tycio chwaith. Dechreuodd y cecru a'r cwffio eilwaith. Tawelodd pethau ryw gymaint tuag amser te, ond erbyn hynny roeddynt wedi dechrau diflasu ar y teganau newydd a'r bychan wedi syrthio'n ôl ar ei hoff bleser o chwarae drwm efo dwy lwy fwrdd a sosban aliwminiwm.

'Sdim ishio i Santa ddod am hir eto, nagoes Dad ... ?' ebe hi'n lluddedig ar ei ffordd i'w gwely.

Doedd ei brawd ddim yn gallu ynganu cweit mor eglur (er ei fod erbyn hynny, drwy drugaredd, mewn cytundeb llwyr â'i chwaer), a'r hyn a ddywedodd o wrth geisio ei hadleisio hi oedd:

'Dim ... dim ... dim isio Satan ddŵad am yn hir eto, Dad.'

A dydw i'n ama dim nad oedd o yn llygad ei le hefyd.

Fel yr oeddem ni rieni rhwystredig i lawr y grisiau yn ceisio clirio'r holl lanast, clywyd llais bach egwan yn galw o'r llofft.

'Mam? Faint sy 'na nes cawn ni wya' Pasg?'

Ymhen chwarter awr roedd y ddau yn cysgu'n braf.

Do, fe alwodd Santa acw gryn nifer o droeon eraill wedyn hefyd, er na fynnwn wadu na fu iddi droi'n dipyn o dransfâl rhwng y ddau ambell dro arall yn ogystal. Ond yr hyn sy'n od ydi i'n haelwyd ni fod yn dipyn llai tangnefeddus wedi iddyn nhw fynd dros y nyth. Y distawrwydd oedd yn anodd dygymod ag o wedyn.

Cyn dyfod y dyddiau blin

Pe baech chi'n gofyn imi nodi'r union fan a'r lle a'r adeg y profais ddadrithiad mwyaf chwerw fy mywyd – y mwyaf chwerw hyd hynny, beth bynnag – chawn i fawr o drafferth ateb. Ryw dair wythnos cyn y Dolig oedd hi, a minnau drwy'r bore wedi bod yn chwarae cowbois yng nghoed Siop efo Robin Gwelfor, Twm Llanol, Cyril Post a Now Stan. Roeddwn ar fy ffordd adre am ginio pan alwodd Mair Tŷ Lawr, fy nghyfnither, arna i o ben y sied wair yr oedd wedi dringo arni ar Lôn Cae Rhun;

'Tyrd yma, Wil Pengraig, ma gin i isio deud rwbath wrthat ti.' Sgrialodd i lawr ar ei phedwar ata i, a Nan ei chwaer yn dynn wrth ei sodlau. 'Does fiw imi weiddi,' meddai, 'rhag i Lun glywad.'

Y chwaer ieuengaf oedd Lun. Doedd hi'n ddim ond naw a hanner, ac ar y pryd roeddwn i'n hen bathaw yn tynnu am ei ddeuddeg oed.

'Rwyt ti'n hogyn mawr rŵan, dwyt?'

'Ydw,' atebais inna, gan wthio 'mrest allan yn larts.

'Mae'n hen bryd iti wbod felly.'

'Gwbod be?'

'Ac os deudi di wrth Lun mi gei di'r gweir ora' gest ti'n dy oes. Dy hiro'n ddychrynllyd. Wyt ti'n dallt?'

'W ... wel, ydw, am wn i.'

'Does 'na 'run ... w'sti ...' cyhoeddodd yn wybodus.

'Does 'na 'run be?' holais inna'n ddryslyd.

'Mae Nan 'ma'n gwbod ers bora 'ma. Taid ddeudodd wrtha i neithiwr. Ac rydw inna'n deud wrthat titha rŵan, yl'di. Mi gei ditha ddeud wrth Robin Gwelfor a'r rheiny os leci di ... Does 'na ddim un ... dy fam neu dy dad ydi o.' A sibrydodd weddill y stori yn fy nghlust.

Doeddwn i ddim yn ei chredu hi, wrth reswm. Doedd y peth ddim yn wir. Ddim yn bosib. Lol-mi-lol Mair Tŷ Lawr oedd y cyfan. Cybôl. Hen rwtsh gwirion. Stori wallgo wirion arall. Er hynny, aeth y peth fel saeth i 'nghalon hefyd. Cefais fy nghlwyfo'n enbyd, ac yn ddigon penisel y trois i am adre am ginio. Fu pethau byth yn union yr un fath ar ôl hynny. Dyna'r adeg y bu raid i'r hogyn ddechrau tyfu'n ddyn.

Mae plant heddiw yn aeddfedu – os dyna'r gair y chwiliaf amdano – yn llawer cynt nag yr oeddem ni 'stalwm. Cofiaf yn dda fel y dechreuodd y craciau ymddangos yn ffydd yr hynaf o'r ddau acw gynt. Yr oedd hi'n hen sefyllfa ddigon cymhleth, a dweud y gwir plaen.

'Dad ...'

'Ia, machi?'

Yr oeddwn i'n eistedd ar erchwyn ei gwely hi oddeutu bythefnos cyn yr Ŵyl, a newydd fod yn croniclo am y canfed tro sut y bu i Sinderela, wedi'i holl dreialon, lwyddo i fachu'i thywysog, neu sut y llwyddodd Goldilocs, dim ond o drwch blewyn, i'w gwadnu hi'n ddihangol o grafangau gwancus y cryfaf o'r hen eirth ffyrnig hynny. Tydw i ddim yn cofio yn union p'run. Nid na fydden nhw ambell dro yn cael hanes Branwen a rhai eraill o gymeriadau'r Mabinogion, cofiwch.

'Dad ...'

'Ia?'

''Nei di ddeud rwbath wrtha i?'

'G'na i, del.'

'Rwbath? Wir?'

'Wir yr.'

'Sawl Santa sy 'na?'

'Wel, dyna hen gwestiwn gwirion.'

'Pam?'

'Dim ond un, siŵr iawn.'

'O?'

'Pam ti'n gofyn?'

'Mae 'na fwy nag un, does?'

'Paid â chyboli.'

'Be 'di cyboli?'

'Lolian.'

'Ond *mae* 'na fwy nag un, does?'

'Sut wyt ti wedi clandro peth hurt felly, o bob dim?'

'Meddwl o'n i.'

'Rwyt ti'n hel meddylia od ar y naw weithia, dallta di.'

'Wyddost ti hwnnw oedd yn Asda yn Llandudno?'

'Ia?'

'Doedd hwnnw ddim yn medru Cymraeg!'

'Tybad?'

'Ond roedd un Bon Marche, Pwllheli, yn medru Cymraeg a Saesneg ... a wyddost ti un Stesion Bach Port ...?'

'Ia? Be oedd o'i le ar hwnnw?'

'Locsyn cotyn-ŵl oedd ganddo fo.'

'Wnes i ddim sylwi, del.'

'Maen nhw'n deud mai tad Gari oedd o ym mharti'r ysgol, wsti.'

'Taw, 'rhen ffŵl!'

'Ac mai Yncyl Owi oedd o ym mharti Ysgol Sul Tabernacl.'

'Yncyl Owi'n Santa? Be nesa? Dydi

Yncyl Owi ddim yn hen, i ddechra cychwyn. Sgin Yncyl Owi ddim gwallt gwyn chwaith.'

'Oes, dipyn bach.'

'Gwylia di iddo fo dy glywad ti'n deud hynny.'

'Rydw i a Robin wedi gweld chwech Santa i gyd, 'n do, ac roedd pob un yn wahanol?'

'Chdi sy'n meddwl.'

'Dad?'

'Ia?'

'Os oes 'na chwech Santa gwahanol, pa un gafodd y llythyr ddaru ni ei sgwennu ato fo?'

'Yli, dwyt ti ddim yn meddwl ei bod hi'n amser iti fynd i gysgu? Wn i ddim be ddeudith dy fam wir ... Nos da cariad.'

'Wyddost ti be ddeudodd Gari, Dad?'

'Na wn i.'

'Na does 'na ddim Santa Clôs ac mai ...'

'Lol botas maip.'

'Ac mai o'r Llyfr Clyb y cafodd Anti Rhiannon y beic a'r petha erill iddo fo. Ma hi wedi 'u cuddio nhw yng ngwaelod y wardrob, medda fo. Mae o wedi'u gweld nhw yno, ond dydi Anti Rhiannon ddim yn gwbod ei fod o'n gwbod chwaith.'

'Ma'r hogyn Gari 'na'n mynd yn llawar rhy fawr i'w sgidia, dallta di.'

'Ai o'r Llyfr Clyb ma petha Robin a finna yn dŵad hefyd ... ia Dad?'

'Cysga, dyna hogan dda.'

'Wna i ddim deud wrth Robin, Dad. Achos hogyn bach ydi o, yntê? Rydw i'n hogan fawr yn tydw ... Tydw?'

'Wel ... wyt, am wn i.'

Ac ar ôl chwarae fel gwenci â'i hysglyfaeth am gryn ddeng munud fe ganiataodd, yn y diwedd, iddo fynd i lawr y grisiau.

Tydi o'n drueni bod y blynyddoedd mwyaf gwerthfawr, y rhai difyrraf o ddigon yn y broses o fagu plant, yn llithro o afael rhywun mor fuan? 'Adag hapusa'ch bywyd chi, reit inyff,' chwedl sawl un, 'gwnewch yn fawr ohono ... rhoswch chi nes byddan nhw'n 'u harddega, 'radag honno ma'r helbulon yn dechra.'

Oedd yn sicr, roedd yr ysgrifen wedi dechrau ymddangos ar y mur ar ein haelwyd ni acw, a'r blynyddoedd na fyddai ynddynt gymaint o ddiddanwch mwyach yn nesáu. Yr hen Santa druan ar ei ffordd i ebargofiant, y diniweidrwydd ar ddarfod. A'r cyfan o achos ryw hen Fair Tŷ Lawr. Petai hi ddim ond wedi cau 'i hen geg!

Mair a Nan a Lun, Tŷ Lawr

Prynedigaeth

Cofiaf, tua dechrau Rhagfyr un flwyddyn, a minnau'n athro ysgol gynt, i fyfyrwyr y Chweched Dosbarth benderfynu cynnal Ffair Nadolig. Cystal adeg â 'run, tybient, i gefnogi achosion da. Yn wir, bu'r prif swyddogion ynghyd â'u pwyllgor yn od o ddeheuig gyda'u paratoadau. Anfonwyd cylchlythyr i bob un o gartrefi'r dalgylch yn gwahodd rhieni i gyfrannu cacennau, ffrwythau, llysiau, teganau, tuniau, llyfrau – unrhyw beth y gellid ei osod ar y byrddau i'w werthu. Ac fe gaed ymateb rhagorol, yr amrywiaeth rhyfedda, ynghyd â llond gwlad o gefnogwyr ar y noson nes llenwi'r Neuadd i'w hymylon. Fe ddaeth Santa yno'n ogystal – cyrhaeddodd yn brydlon am hanner awr wedi saith i gyfeiliant utgyrn a chlychau a sŵn gorfoledd mawr.

Dridiau ynghynt, yr oeddwn innau wedi 'nghyffwrdd gan dwtsh o gydwybod ac wedi ymateb rhyw gymaint i'r apêl. Euthum adre i geisio dwysbigo calonnau y ddau blentyn acw. Fe wyddoch y math o beth, y moesoli arferol ...

'Ylwch mor braf ydi hi arnoch chi. Mae 'na rai plant bach nad ydyn nhw ond yn cael y nesa peth i ddim y Dolig 'ma ...' ac ati, ac ati. 'Gyntad ag y cewch chi'ch te rydw i am i chi fynd i'r llofft 'na i glirio'r llanast yn y cwpwrdd tegana ... ac os oes na betha nad ydach chi mo'u hangen bellach, rhowch nhw o'r neilltu ac mi a' i â nhw i'r ysgol fory i'w rhoi ar un o'r byrddau gwerthu yn y Ffair nos Wenar. Ac mi awn ni i gyd yno ... newch chi?'

Gwnaen nhw. Bochau bodlon yn syth. Er mai digon crintachlyd fuon nhw, hefyd. Er bod ganddyn nhw doreth o stwff nad oedd o'n dda i ddim oll iddynt mwyach, pob nialwch dan haul, pur gyndyn oedden nhw i gael gwared ag o. I'w roi felly. Mynnent ailgydio ac ailglosio a glynu mewn hen bethau nad oeddynt wedi gweld unrhyw werth ynddynt ers dwy flynedd a rhagor, nes y daeth pwysau arnynt i'w rhoi i rywun arall.

'Rydw i isio cadw hwn ... am ddal gafal yn 'nacw ... gan Nain ce's i hon. Mi fasa Nain yn digio tawn i'n ei rhoi hi.'

A mil a mwy o esgusion. O'r diwedd, o law galed ac wedi hir bendroni, llwythwyd ychydig ddarnau Lego, jig-sô bur anghyflawn o'r *Mary Rose*, cwningen las wedi colli un glust a hanner ei chynffon, eliffant pinc dall a byddar, jiraff efo'r stwffin yn brothio o gesail ei forddwyd, eroplên amddifad o'i pheilot a'i phropelor, jac yn y bocs â'i sbring wedi torri, basged wiail, trowsus Superman, dau glown ac un ddoli ddu i'r sach, a rhuthrwyd â nhw i'r ysgol y noson honno rhag ofn y byddai'r ddau hen grintach wedi difaru erbyn bore trannoeth!

Y peth cyntaf a wnaethon nhw ar y nos Wener oedd 'i gwadnu hi'n syth at y stondin deganau, nid er mwyn prynu un dim, cofiwch, ond yn fusneslyd reit i ganfod beth yn union oedd yn cael ei godi am y geriach yr oedden nhw wedi ei gyfrannu. Sylwyd bod saith deg pum ceiniog wedi ei sodro ar ben ôl yr iacha o'r ddau glown a thrigain ar y llall; rhywbeth yn debyg oedd pris yr eliffant pinc, a hanner can ceiniog am y ddoli ddu ... a'r *Mary Rose*, yn anghyflawn fel ag yr oedd hi, yn cael ei chynnig am ddim ond ugain ceiniog. Bargen.

'Biti na fasan ni wedi meddwl am neud ffair i ni'n hunain adra, yntê?' ebe'r fenga wrth yr hyna ... 'yli lot o bres fasan ni wedi'i ga'l.'

'Brenin trugaradd! Be haru chi deudwch?' gwaredodd eu mam wedi gwrido hyd at fonau ei chlustiau. 'Ma'r plant 'ma'n codi cywilydd mawr ar rywun.'

O fewn dim roedd mwy na hanner y byrddau wedi eu sbydu'n lân. Do, bu'n noson lwyddiannus ryfeddol. Gwnaed elw o dros saith can punt. Cafwyd cartrefi rhagorol i'r eliffant pinc a'r jiraff, hyd yn oed i'r wningen las. Chafodd y ddau glown mo'u gwahanu chwaith. Cawsant fynd efo'i gilydd, ac fe symudwyd y *Mary Rose* i ddrei doc lle câi lawer mwy o ofal a pharch.

Popeth ond y ddoli ddu. Doedd neb fel petai â rhithyn o ddiddordeb ynddi hi, neb yn gofyn i beth oedd hi'n dda. Roedd ugain munud i fynd cyn amser cau, ac yn ei mawr ddoethineb penderfynodd yr eneth a ofalai am y stondin ei chynnig hi am hanner y pris gan lwyr gredu, am bum ceiniog ar hugain, y byddai rhuthro gwyllt amdani. Ond am ryw reswm, oedd yn ddirgelwch llwyr i bawb, doedd neb yn ei ffansïo hi wedyn chwaith ... na dim hyd yn oed pan gynigiwyd hi'n wirion o rad am ddim ond deg ceiniog bum munud cyn terfyn y sioe.

'Be wna i, deuda?' gofynnodd ei chyn-berchennog yn betrusgar wrth ei Mam.

'Be nei di be?' atebodd hithau'n ddigon difater.

Santa'n galw yn yr ysgol

'Fy noli ddu ddu fi, does neb 'i hisio hi ... biti yntê?'

'Hidia di befo,' cysurodd ei Mam, 'mi cadwan hi tan y ffair nesa, w'sti.'

Ond fe ddaliai hi i sefyll yno mewn cryn gyfyng gyngor. Dechreuodd deigryn gronni yng nghil ei llygad cyn iddi, toc, fagu digon o blwc i ofyn i'r eneth wrth y cowntar, 'Plis newch chi werthu'r ddoli yna i mi? Ond does gen i ddim ond hyn ...'

Agorodd ei llaw a rhoddodd yr hyn oll oedd ganddi ar ei helw ar y bwrdd. Fe'i prynodd am dair ceiniog ac fe'i cludodd yn ôl gartre fel pe bai wedi ennill ffortiwn. Fe'i hymgeleddodd. Fe'i gwisgodd mewn rig-owt newydd sbon a'i gosod i orffwys mewn cornel anrhydeddusach o lawer o'r cwpwrdd teganau.

Ba sentimentaleiddiwch – dyna farn ambell hen sinig, mae'n eitha siŵr – stori fach neis i chwarae ar deimladau pobl!

Wel, hwyrach yn wir, er y taerwn i fod peth o wir neges y Nadolig ymhlyg ynddi yn rhywle hefyd. Onid sôn sydd, yr adeg hon o'r flwyddyn, am brynedigaeth ac am adfer y colledig, yr amddifad, yr ysgymun, yr unig, y digartref? Yng ngenedigaeth y baban daeth tosturi a chariad i ganol oerni a difaterwch. Yng ngeiriau'r *Magnificat*:

'Efe a wnaeth gadernid â'i fraich ... ac a ddyrchafodd y rhai isel radd'.

Yn ei hanfod, stori'r ddoli ddu, ar raddfa anhraethol fwy, yw stori'r Nadolig hefyd.

Nadolig i'w anghofio

Chwip o gareiau lledr sgidiau hoelion mawr, a thop lliw coch a glas: dyna beth adawodd Santa yn fy hosan i y Nadolig pell yn ôl hwnnw. Ac unwaith yr oeddwn i wedi sglaffio dogn da o'r ŵydd a'r stwffin ynghyd â thalp go helaeth o'r pwdin plwm wedi ei foddi mewn menyn toddi tew, roeddwn i allan o'r tŷ fel bwlat ac yn gwneud bi-lein i lawr i'r pentra i chwilio am Seimon Llety Llaith er mwyn rhoi prawf ar y top newydd.

Roedd Sei wedi cael un yn ei hosan yntau. A fo, waeth cyfadde ddim, oedd pencampwr y grefft. Fe allai o chwipio'i dop mor ffyrnig fel bod hwnnw'n llamu i'r awyr ond yn disgyn yn daclus rai llathenni i ffwrdd, yn dal i droi. Nid hynny'n unig – fel giamblar medrus gallai, pe dymunai, gadw'i dop ar fynd am un hanner awr, dim ond iddo roi chwipiad go nerthol iddo nawr ac yn y man. A dyna ble byddai, yn eistedd ym môn clawdd yn cloriannu'n ddirmygus heriol ein hymdrechion carbwl ni. Yn dipyn o jarff, a dweud y gwir plaen. Ymdrech ofer i efelychu (neu, o bosib, ragori) ar ei ddawn gyfrin o, a barodd imi'r Dolig hwnnw gael un o brofiadau mwyaf arteithiol fy mywyd.

Roeddwn i'n benderfynol o gael y llaw uchaf ar y Llety Llaith, canys o lwyddo a chyflawni camp mor arwrol, byddwn yn wrthrych edmygedd mawr yr haid a oedd wedi ymgynnull ac yn eistedd ar ben clawdd Cae Clegyrog i wylio'r ornest galed rhyngddom.

'Bendith y Tad iti, cadwch draw oddi wrth dai pobl, beth bynnag ... rhag ichi wneud llanast. Wyt ti'n clywad?' Gorchymyn rhybuddiol Mam cyn imi adael y tŷ.

'Ydw, Mam.'

'Wel wyt, gobeithio. A phaid ti â chymryd dy hudo gan yr hen hogyn Llety Llaith 'na ...'

'Iesgo, na wna i, siŵr iawn ...'

'... rhag iti wneud sôn amdanat, dallta, a thynnu gwarth arnon ni fel teulu.'

'Ia Mam ... olreit, Mam.'

'Ac os clywa i un gair am unrhyw fistimanars, y ciando 'na heb damad o swpar fydd dy hanas di – Dolig neu beidio.'

Wnes i ddim gwrando 'run gair ar refru tragwyddol Mam chwaith, ac er gwaetha'i thantro, ar ddarn o ffordd a redai dan gysgod y Capel y bu maes y frwydr boeth honno rhwng Sei a mi yn y diwedd.

'Closia o'r ffordd, y Llety Llaith,' meddwn i'n larts.

Ac yn wir, cychwynnodd pethau'n rhyfeddol o addawol: Sei yn ergydio ei un o yn dra chelfydd yn ôl ei arfer tra 'mod innau'n gyrru'r coch a'r glas fel rhyw ebol ifanc llamsachus. Chwipio bob yn ail. Y naill na'r llall ohonom hyd yn oed yn ystyried ildio. Y topiau'n troelli'n wyllt, yn codi rai troedfeddi oddi ar y ffordd ambell dro ond yn disgyn yn rhwydd ac yn daclus yn ôl i'w lle wedyn. Roedd yr awyrgylch yn drydanol a'r syportars ar ben clawdd Cae Clegyrog wedi ymrannu'n ddwy garfan swnllyd.

'Bôn braich iddo fo eto, yr hen Sei ...' neu 'Dyro socsan unwaith ac am byth iddo fo, Pengraig, i gau ei hen geg o ...' (fi, gyda llaw, oedd 'Pengraig'.)

Cleciodd fy chwip careiau lledr am wddf y top newydd am y canfed tro. A dyna fu ergyd fwyaf nerthol yr ornest ... ond fu erioed y fath flyndar. Edrychais, yn gyfangwbl ddiymadferth, arno'n codi'n glir oddi ar wyneb y ffordd, yn troelli fel bwmerang, yn esgyn yn uwch ac yn uwch ac yn uwch nes taro'n gletsh yn erbyn y cwarel mwyaf yn un o ffenestri Capel Bethlehem (M.C.) a mynd drwyddo nes ei fod yn siwrwd!

Aeth y dorf ar ben y clawdd yn gwbl fud. Safwn innau yno wedi'm hurtio'n llwyr. Clywais fel y bu i ryw giwed anwar unwaith ruthro i ddifrodi'r Cysegr Sancteiddiolaf a'i ysbeilio o'i drysorau gwerthfawrocaf. Gwyddwn yr un pryd mai gwaeth na ffieidd-dra yr Antiochus Epiffanes hwnnw, a aberthodd foch, o bob dim, ar allor Teml Jeriwsalem, yr ystyrid fy mhechod ysgeler i y pnawn Nadolig hwnnw, a achosodd y fath halogiad anfad ar deml Bethlehem (M.C.).

A gwaeth fu'r canlyniadau hefyd. Seithgwaith gwaeth! Y deud adra, a'r orfodaeth wedyn i darfu ar heddwch Gŵyl y Geni y Parch D. Teifigar Davies, y gweinidog, i gyfadde fy mhechod. Yna'r ymddiheuro mewn sachliain fesul un i'r pedwar blaenor. Heb sôn am y cerdded i lawr y capel i'n sêt ni y bore Sul canlynol gan lwyr gredu fod pawb yn hylldremu ar y delincwent bach anystywallt yn eu plith. Y penyd creulonaf un oedd i mi gael fy nedfrydu i beidio â chyffwrdd mewn na chwip na thop byth wedyn, heb sôn, chwaith, am chwarae efo'r cyfryw rai.

Yng nghyflawnder yr amser gosodwyd gwydr newydd yn ei le – er mai fi, deallwch, o'm harian poced prin, orfu wynebu'r draul drom honno. Ond dacia, doedd y gwydr newydd ddim yn gweddu'n union, rhywsut. Ffenestri dwl, na ellid gweld trwyddynt, fu ffenestri'n capel ni erioed, ac fe wêl y sawl a ddigwydd fynd heibio ar ei hald fod y cwarel uchaf yn y drydedd ffenest bellach yn wydr clir. Mae'n wahaniaeth sydd wedi aflonyddu arna i bob tro y dychwelaf i'r hen ardal, gan beri bod euogrwydd fel mynyddoedd yn dod yn ei sgil – a hynny, hyd yn oed, ar ôl yn agos i ddeng mlynedd a thrigain.

Y top

Hwyrach, erbyn heddiw, y dylwn i holi tybed, mewn gwirionedd, faint o'i ôl adawodd Bethlehem arna i? Er bod un peth yn gwbl sicr – bu i mi adael fy ôl yn gwbl annileadwy ar Bethlehem! Onid yw'r gwydr clir ar gwarel ucha'r drydedd o'i ffenestri yn tystio'n ddigamsyniol i hynny?

Os bu camddefnydd o unrhyw rodd Nadolig erioed fe ddigwyddodd y flwyddyn honno, a gorfu i'r hen Santa feddwl ddwywaith beth i'w roi yn fy hosan y Nadolig canlynol. Swm y cyfan felly yw y dylai hwnnw'n sicr fod yn Ddolig i'w lwyr anghofio i mi ... er nad yw fawr o syndod na lwyddais erioed i wneud hynny, chwaith!

A beth tybed, teg gofyn, fu hanes y Seimon Llety Llaith hwnnw, pencampwr chwipio top yr holl fro? Digon ydi datgan iddo, yn ei ddydd, dyfu'n gefn dyn yn ei ardal. Bu i mi alw heibio i'w weld dro'n ôl, ac yntau bellach yn hen ŵr musgrell a digon gwargam. A dyna ryw led alw i go' yr ornest ffyrnig a fu rhyngom y dydd Nadolig pell yn ôl hwnnw, gan ei hanner s'lensio i ddod allan i'r buarth inni allu ceisio troi ein llaw ar y grefft ddim ond am unwaith yn rhagor – i weld sut siâp fyddai arnom bellach.

'Ma' gin i ofn fod dy ddyddia chwipio top di, a minna, wedi hen ddarfod amdanynt ...' Dyna ddeudodd o, a gadael pethau'n ddigon swta yn union fel yna. Ac o feddwl, dydw i'n amau dim nad oedd o yn llygad ei le.

Capel Bethlehem, a'i ffenestri'n gyfan!

Camdreuliad

Gall tymor y Nadolig fod yn hen amser digon diflas i'r sawl sy'n ei dreulio ar ei ben ei hun. Trafod unigrwydd y mae Crwys yn ei gerdd 'Nadolig Shôn y Goetre', gan ddisgrifio hen ŵr yn rhyw led obeithio y dôi rhywun i edrych amdano oddeutu'r ŵyl:

Cerddodd yn araf a chrwm
I gongl ei fuarth gwelltog
Pwysodd yn hir ac yn drwm
Yn erbyn y boncyff clymog;
Drwy gawod o eira mân
Syllodd yn hir, tan wrando
A dychwelodd yn ôl at ei dân
Gan sisial: 'Ddôn nhw ddim heno'.

Ddaeth 'na neb, ac fe'i gadewir yno gyda'i atgofion.

Mae'n wir, hwyrach, nad ydan ni'n bobl mor gymdogol ag y buon ni, ond alla i yn fy myw gredu bod profiad Shôn yn brofiad rhy gyffredin yn y Gymru wledig sydd ohoni, chwaith. O gwmpas y Dolig mae rhywun siŵr o alw heibio, hyd yn oed taro i mewn i edrych am rai fel 'rhen Seimon Ffransis, Y Pandy, pan oedd o.

Hen lanc dros ei bedwar ugain yn byw ym mherfeddion gwlad oedd Seimon Ffransis. Anaml y byddai'r un enaid yn tywyllu ei ddrws o un pen y flwyddyn i'r llall. Digon tebyg i Shôn y Goetre ar lawer ystyr, ond yn wahanol i Shôn, roedd Seimon Ffransis yn bownd o gael pobl ddiarth yn galw heibio yn ystod cyfnod y Dolig, yn ddi-ffael bob blwyddyn. Y rheswm am hynny oedd bod y gangen leol o'r Dybliw Ei – a gyda llaw, buasai'n rhaid i rywun fynd yn o bell i ddod o hyd i nobliach, cleniach criw, a Chymreiciach hefyd, o ran hynny – yn gofalu fod pob pensiynwr yn yr ardal yn derbyn mymryn o bresant ganddynt i ddathlu'r ŵyl.

Doedd dim gormod o arian yng nghoffrau'r gangen, mae'n wir, a chynnyrch Siop Wylwyrth (o beraroglus goffadwriaeth bellach) oedd mwyafrif y rhoddion a ddosberthid. Dwy hances i Martha Wilias, Penllaingoch, pâr o sanau llwydlas i Elin Gruffydd, Rhos Badrig, dol glai efo *foreign* wedi ei sgwennu ar ei phen ôl i hen wraig Talcen Eiddew (er bod ganddi aneirif lu o drugareddau tebyg eisoes yn gwegian ar ei seidbord), owns o faco St Bruno neu Condor i Owen Owens, yr Henbont, a'r flwyddyn honno rholyn o sebon siafio Imperial Leather i Seimon Ffransis, Y Pandy.

Mrs Hilda Parry'r Llywydd, Margaret Ensor-Preis, yr is-Lywydd ynghyd â Gwyneth Edwards, yn rhinwedd ei swydd fel aelod blaenllaw o'r pwyllgor, oedd yn gyfrifol am y dosbarthu ac fe gawsant fwy o groeso yn y Pandy nag yn unman arall.

Oddeutu'r Calan yr oedd gwas yr Efail yn mynd heibio'r Pandy ar ei ffordd i gyfri'r defaid a phenderfynodd fwrw'i big i mewn i holi sut oedd hi'n giardio yno.

Swper Gŵyl San Steffan

'Sut Ddolig ddaru hi arnoch chi, Ffransis? Rydach chi wedi sobri bellach debyg?'

'Un coman, fachgian ...'

'O?'

'Reit ulw o goman hefyd.'

'Dew annw'l?'

'Ia, wir iti hogyn.'

'Be ddigwyddodd felly?'

'Goeli di 'mod i wedi bod yn fflat yn y ciando am dridia?'

'Rioed?'

'Efo'r beil mwya dychrynllyd, achan.'

'Wel, Duw a'ch helpo.'

'Efengyl iti.'

'Mi gawsoch ddoctor, debyg?'

'Sut gallwn i, a finna'n byw mewn hen shianti fel hyn yn bell o bobman?'

'Ond rydach chi wedi dechra dod yn ôl at 'ych coed erbyn hyn?'

'Ydw, yn raddol bach.'

'Ond ar be oedd y bai? Ar fwyta gormod?'

'Mi ddeuda i wrthat ti, hogyn. Mi dda'th 'na dair o ferchaid o'r pentra yma, y petha clenia'n fyw, i edrach amdana i, ac mi ddaethon nhw â rholyn o injia roc neis imi mewn papur sidan, fachgian ...'

'Wel, chwarae teg iddyn nhw.'

'Ia neno'r Tad, er nad injia roc Llanarch'medd oedd o chwaith. Hwnnw fydda i yn 'i lecio, wsti.'

'Ydi mae hwnnw'n ddiguro.'

'Wel iti, dyna'r injia roc rhyfedda f'ytis i'n fy oes.'

'Tewch.'

'Ro'n i'n clywad rhyw hen flas digon od arno wrth imi drio'i gnoi o, wsti – rhyw hen smach od felly – a hwnnw'n creu rhyw ffroth gwyn o gwmpas fy ngheg i. Ond chysidris i rioed y basa'r diawl yn creu'r fath lanast ar fy nghylla i chwaith. Ond diolch i'r merchaid ffeind hynny 'run fath yn union. Petha clên gythgiam ...'

Na, nid yw'n syndod yn y byd fod mwy o dabledi a phowdrach stumog at gamdreuliad yn cael eu prynu a'u llowcio'r adeg hon na'r un adeg arall o'r flwyddyn. Cystal inni oll felly gymryd pwyll ac ystyried beth yn union rydym yn ei fwyta. Rhag ofn. Neu hoffwn i ddim proffwydo sut siâp fydd ar ddathlu Calan yr un ohonon ninnau!

Gwledd i Santa

Hen fyd rhyfadd

(Nadolig 1992)

Dyma ni yn ymlafnio ar ei gyfer unwaith yn rhagor. Blwyddyn arall wedi mynd fel y gwynt a ninnau i'w chanlyn. A rhai pethau wedi newid er gwaeth ers yr adeg hon y llynedd. Un o'r cardiau cyntaf i gyrraedd acw flwyddyn yn ôl oedd hwnnw o Erw'r Delyn, Llannerch-y-medd. Kitty wedi bod yn clarcio ac yn ychwanegu nodyn cwta, 'John ddim wedi bod hanner da a than law'r Doctor eto.' John oedd J.W. y gwerinwr diwylliedig, yr eisteddfotwr brwd. Y bardd gwlad medrus. Na, doedd o ddim yn dda. Dydi o ddim efo ni erbyn y Dolig hwn, gwaetha'r modd, mwy nag ydi 'mrawd yng nghyfraith yng Nghemaes na'r actor amatur poblogaidd, Gwynn Britannia, Llanystumdwy ... a ddaeth 'na ddim calendr *Wisconsin Trails* oddi wrth Sara Ann o'r 'Mericia leni chwaith. Fe fyddai'n cyrraedd ddiwedd Tachwedd fel arfer. Doeddem ni'n dau erioed wedi cyfarfod â'n gilydd er ein bod yn gefnder a chyfnither, ond yr oeddem wedi bod yn cyfnewid llythyrau diwedd blwyddyn yn selog ers dros chwarter canrif. Rhyw hel hen feddyliau fel'na y bydd rhywun yr adeg hon, debyg, a phawb yn teimlo chwithdod ar ôl rhywun neu'i gilydd.

Ac mae pethau wedi mynd i'w crogi bellach cyn belled ag y mae a wnelont â'r Dolig. Plastig ydi'r celyn, wadin ydi'r eira, barrug ffug sydd wedi ei chwistrellu ar ffenestri'r siopau. Ffug ydi popeth bron, a'r hen fyd yma wedi mynd yn lle digon rhyfedd.

Rhyfedd, rhyfedd gan angylion
Rhyfeddod mawr yng ngolwg ffydd,
Gweld Rhoddwr bod, cynhaliwr helaeth
A Rheolwr popeth sydd –
Yn y preseb mewn cadachau
A heb le i roi'i ben i lawr ...

Dyna'r rhyfeddod i Ann Griffiths. Nid na fyddai'n fwy rhyfeddod fyth iddi pe gwyddai sut yr ydym ni heddiw yn dathlu dyfodiad y 'Gair a wnaethpwyd yn gnawd' i'n plith. Onid ydan ni i gyd mor llawn ein ffwdan, rhywsut.

Ydi'r siopio wedi ei gwblhau, tybed? Bendith y Tad, cymerwch fawr ofal wrth lapio neu bacio'r anrhegion, beth bynnag. Gofalwch o flaen dim fod enw'r derbynnydd wedi ei sgwennu'n glir ar y parsel. Os mai Black Magic sydd i fod i Anti Dori, rhodder enw Anti Dori yn deidi ar y lebal. Felly yr un modd efo bath solts Modryb Cêt, neu'r bocs 'na sy'n cynnwys tri chlap sebon a neilltuwyd ar gyfer Ceinwen dros y ffordd. Mor rhwydd y gellir syrthio i brofedigaeth a chymysgu pethau'n lân loyw.

Dyna gymydog i ni y llynedd a oedd wedi bod yn fawr ei helbul gyda'r pacio munud olaf ond heb fod yn or-drefnus ynghylch ei phethau chwaith, ac wedi gwneud stremit braidd. Roedd hi wedi rhoi enw Anti Pegi ar y parsel oedd yn cynnwys y ffeiloffacs a fwriadwyd ar gyfer ei brawd yng nghyfraith, a'i enw fo ar After Eights Anti Pegi. Dyna embaras ar ôl dosbarthu'r rhoddion fu gorfod cysylltu i holi er ceisio canfod yn union pwy a gafodd y ffeiloffacs colledig ac yna'r strach wedyn o adfer y naill fel y llall i'w priod berchennog. Ond dyna fo, hen adeg hwngrus fel'na yw'r Dolig bellach.

Ac am fod teuluoedd fwy yng ngwynt ei gilydd o gwmpas yr ŵyl, mae mwy o ffraeo ac o fân gecru yn eu plith yn ogystal. Yn wir, yn ôl y sôn y mae yna fwy o guro neiniau – *granny battering* yw'r term ffasiynol – yr adeg hon mwy na'r un adeg arall, meddan nhw. Onid tua'r adeg hon y llynedd y clywsom am y nain honno i lawr tua ochrau Aberdyfi yn rhywle? Nain fodern dra chefnog, gyda llaw, a gyrhaeddodd mewn Range Rover clyfar a gorlwythog o bethau gorau'r byd hwn i dreulio'r ŵyl yng nghartref ei merch a'i mab yng nghyfraith a'r plant. Bu am hydion, mae'n debyg, yn dadlwytho anrhegion costus wedi iddi gyrraedd, y gwinoedd, y gwirodydd, y bocsus siocledi, y tunelli o gnau ac o ffrwythau – heb anghofio twrci pymtheg pwys ar hugain y daethai â fo i'w chanlyn. Yn wir, drymed y beichiau fel y bu raid iddi gael sieri bach yn syth i ddod â hi'n ôl at ei choed tra bod un o'r wyrion wedi sicrhau bod 'Good King Wenceslas' yn cael ei chwarae ar CD yn y cefndir wrth iddi ddadluddedu.

Eithr pharhaodd yr heddwch ddim yn hir. Bu anghydweledïad ffyrnig rhwng y mab yng nghyfraith a'r fam yng nghyfraith ynghylch tynged y twrci. Y naill, o bledio darbodaeth, am lifio'r anghenfil yn ei hanner a chadw'r hanner arall yn y rhewgell tan y Calan tra bod y llall am ei stwffio'n union fel yr oedd i'r ffwrn! Bu dadlau. Bu taeru. Bu enllibio. Ac, i dorri'r stori yn fyr, ymhen llai na theirawr fe'i gwelwyd hi ar ei hyll yn ei gwneud hi, bag a bagej, yn ei Range Rover am gartre, ple bu yn ôl y dystiolaeth wedyn yn byw ar dwrci i frecwast, cinio, te a swper tan y Pasg bron. Byd rhyfedd!

Am Santa ei hun, fe fydda i'n teimlo erbyn hyn ein bod wedi mynd i ddisgwyl gormod gan y creadur truan a bod y cyfrifoldeb a osodir ar ei ysgwyddau yn gallu bod yn llethol ar brydiau. Nid yn unig disgwylir iddo agor ac ateb y rhai miloedd o lythyrau a fydd yn cyrraedd iddo bob dydd, heb sôn am fynd o gwmpas sawl warws efo'i archebion, ond mae'n ofynnol iddo'r un pryd ofalu bod y ceirw yn cadw mewn trim a hefyd i warantu fod y car llusg wedi cael ei M.O.T. Wedi'r cwbl, thalai hi ddim i hwnnw dorri i lawr ar adeg mor dyngedfennol. Yn wir, rhedeg a rasio yw ei hanes Sul, gŵyl a gwaith.

Dewis anrheg Nadolig o gatalog Argos efo Taid

A dyna pam, dros gyfnod o flwyddyn neu ddwy, y gwirfoddolais innau i estyn peth cymorth iddo drwy ymweld ar ei ran ag un ysgol arbennig mewn ardal ddifreintiedig yma yng Ngwynedd. Cefais fenthyg ei iwnifform o dros dro am ei fod o'n methu â'i dal hi ym mhob man ac euthum ar ei ran i barti plant yr ysgol arbennig honno i gasglu'r archebion, fel petai. Y flwyddyn gyntaf y bu imi ymwneud â'r cyfrifoldeb hwnnw gwnes gamgymeriad go ddifrifol. Yn enw Santa addewais bron bopeth i bawb, ar yr amod y bydden nhw'n blant da – nes i rywun sibrwd yn fy nghlust na allai'r hen frawd caredig, hyd yn oed gyda'r bwriadau mwyaf teilwng, gyflawni llawer yn yr ardal dlawd honno.

Y flwyddyn ganlynol roeddwn i'n ôl yn yr un ysgol a chefais sgwrs efo rhai o'r hen blant fesul un, er y buaswn yn llai na gonest pe dywedwn nad oedd fy wisgars gwyn yn fy nghosi'n gynddeiriog o gwmpas fy ffroenau.

'Be ydi dy enw di?' holais un bachgen.

'Joseff,' talsythodd, ''run enw â tad Iesu Grist, yntê?' ond gan ychwanegu, beth yn gyhuddgar, 'mi ddaru chi addo BMX i mi llynadd, ond ches i 'run. Ga i un leni 'ta, plis?'

Beth oeddwn i i fod i'w ddweud? Roeddwn wedi'm cornelu braidd, a derbyniais arwydd pendant yn syth o un o'r seddau'r cefn nad oeddwn ar boen fy mywyd i addo'r fath beth. A bu raid imi fyngial rhywbeth i'r perwyl fod BMX's wedi mynd yn bethau digon prin ac nad oedd hi'n debygol y câi un y Dolig hwnnw chwaith. Mae'r siom oedd ar wyneb Joseff yn dal i aflonyddu arna i o hyd. Ia, hen fyd rhyfedd ac anghyfartal bellach ydi o, ddyliwn, byd o gyni i rai, o ddiweithdra a thlodi, a'r anghyfartaledd hwnnw yn ei amlygu ei hun oddeutu'r Dolig bob gafael.

Roeddwn i'n dyfynnu Ann Griffiths ar y dechrau. Efo hi y bwriadaf orffen hefyd. Edrych ymlaen y bydd y rhan fwyaf ohonom at ddadebru wedi'r holl ddyri yn ystod yr ychydig ddyddiau tawel a fydd yn dilyn yr ŵyl. A doedd ein gweinidog ni ar y pryd ynghyd â'i gŵr ddim yn eithriadau.

Ddeuddydd wedi'r Dolig y flwyddyn honno fe benderfynasant gyrchu wysg eu trwynau yn y car nes eu cael eu hunain yn y diwedd ar gyrion bro'r emynyddes. Wnaethon nhw ddim galw yn Nolwar. Roedden nhw wedi bod yno deirgwaith o'r blaen p'run bynnag, ond yr oedd yn rhaid iddynt gael troi i'r fynwent yn Llanfihangel yng Ngwynfa cyn symud ymlaen wedyn i Ddolanog.

Yn Nolanog fe aeth hi allan o'r car gyda'i chamera i'w chanlyn, gyda'r bwriad digon diniwed o dynnu llun neu ddau. Wrthi'n edrych o'i chwmpas yn cymryd stoc o bethau yn synfyfyrgar yr oedd hi pan ddaeth rhyw horwth digywilydd ar ei gwarthaf a dechrau ei rhwygo hi.

'I've seen you casing the joint, my girl,' chwyrnodd yn fygythiol, 'because I know your type and what you're after – you'd better get the hell out of here before I ...' a chan ychwanegu, 'and don't ever think of returning either, because I've got your registration number, see.'

Oes i amau pawb ydi hi bellach, fe ymddengys, hyd yn oed oes i amau gweinidogion yr Efengyl oddeutu'r Dolig ym mro Ann Griffiths, o bob man. Nefi trugaradd! Mi fasa'n 'rhyfedd, rhyfedd gan angylion'.

Difetha'r hwyl

Tydi ysbryd yr ŵyl ddim yn cydio ym mhob un ohonom, gwaetha'r modd. Dyna'r hen grintach hwnnw o efengylwr tanbaid yn Gabalfa a sbwyliodd bethau i bawb dro'n ôl drwy haeru o'i bulpud, heb flewyn ar dafod, a cherbron cynulleidfa niferus o blant ifanc, nad oedd Santa'n bod. Ffantasi oedd y cyfan, medda fo, twyll o'r math gwaethaf – rhywbeth cwbl anghydnaws â'r efengyl, ac ati, bla ... bla ... bla. Yr hen Jeremeia iddo. Yr wyneb asiffeta. A glywyd erioed y fath heresi? Doedd ryfedd i'r creadur gwirion dynnu nyth cacwn yn ei ben am ferwino clustiau'r rhai bach wrth raffu ei gelwyddau. Roedd y gingron penstiff yn gwbl anedifar ynghylch ei safiad hefyd ... mi fasa, wrth reswm. Druan ohono.

Y lladron wedyn. Maent hwythau'n brysurach o gwmpas y Dolig na'r un adeg arall o'r flwyddyn. Clywir am rai o blith y giwed haerllug yn torri i mewn i ambell gartref gan ei sgrialu hi oddi yno wedyn wedi sbydu ohonynt bopeth o dan y goeden.

Trosedd lai, hwyrach, ond un bur ddifrifol er hynny oedd un Sandi. Labradôr o waed coch cyfan oedd (neu, hyd y gwn i, yw) Sandi, y ci barus a wnaeth gymaint o sôn amdano'i hun dros ŵyl y geni un flwyddyn. Bu iddo lwyr amddifadu ei berchnogion o'u cinio a pharodd i un o bapurau'r gogledd, ddeuddydd wedi'r ŵyl, gyhoeddi o dan bennawd bras:

'LABRADOR GOBBLES UP FESTIVE FOOD.'

Treuliodd Carmel, ei feistres hynaws, gwraig tŷ ddwy a deugain oed o Oldham, oriau lawer yn paratoi gwledd ar ei chyfer hi a'i gŵr, Pete, a chyn iddynt fynd i'w gwlâu ar noswyl y Nadolig, gosododd y cyfan yn daclus ar fwrdd y gegin a'i orchuddio â lliain gwyn, glân. Byddai'r cyfan yn barod wedyn, yn gwbl barod, i'w roi yn y ffwrn ben bore'r diwrnod mawr. Ac yn ôl pob tebyg bu i'r ddau gysgu'n braf drwy gydol y nos, a chael breuddwydion melys yn sgil hynny, mae'n ddiamau.

Ond yn y cyfamser, penderfynodd Sandi roi ei gynlluniau ystrywgar ar waith. Yn sgilgar ddeheuig, yng nghanol y dawel nos, llwyddodd i gydio gerfydd ei ddannedd mewn cwr o'r lliain a ddigwyddai fod yn hongian dros ymyl y bwrdd ac, yn araf, llusgodd yr holl gynnwys at y dibyn a throsto nes bod y cyfan yn un sbleddach ar lawr ym mhob man.

Dros yr oriau nesaf fe'i helpodd ei hun i ddanteithion na freuddwydiasai erioed amdanynt o'r blaen, gan leibio i'w gyfansoddiad a storgajio'r cwbl oll. Pan ddaeth Carmel druan i lawr y grisiau drannoeth daeth o hyd i Sandi'n chwyddedig, yn gorlenwi ei fasged ac yn drwm yng ngafael y syrthni rhyfeddaf.

Y cwrs cyntaf ar ei fwydlen oedd y corgimychiaid. Roedd wedi sglaffio yn agos i ddeubwys ohonynt cyn claddu dau can gram o eog. Wedyn, dechreuodd ymosod yn ffyrnig ar dwrci ugain pwys, deubwys o selsig Cumberland, pwys a hanner o facwn, twbyn cyfan o saws afal a dysglaid helaeth o stwffin, ynghyd â phwysi anghyfri o foron, pys, ysgewyll a phannas. A hynny o fewn llai na chwarter awr, os gellir credu'r adroddiad. I goroni'r cwbl cawsai flas anghyffredin ar bwdin plwm a fu'n socian yn y brandi gorau – heb sôn am ddau garton o hufen dwbl, dau ddwsin a hanner o fins peis a bocs cyfan o siocledi dethol gwlad Belg. Ond, drwy ryw ryfedd ragluniaethol wyrth (ac er gwaetha'i chodwm dros ymyl y bwrdd) roedd y botel Port Wein wedi aros yn gyfan. Ni allai hyd yn oed y medrus Sandi agor honno.

Nadolig llwm i'w ryfeddu felly gafodd Carmel a Pete Sandham o Oldham yn Sir Gaerhirfryn. A doedd fawr ddim y gallent ei wneud ynglŷn â'r sefyllfa chwaith – roedd siop y gornel a gedwid gan yr hen Mistar Patel hyd yn oed ar gau wedi'r holl ddyri (er nad oedd yr ŵyl yn golygu undim o gwbl iddo fo chwaith). O ganlyniad gorfu i'r ddau druan blygu i hen drefn greulon a olygai eu bod yn gorfod bodloni ar ffa pob ar dost a phwdin reis o dun i ginio. Ond gyda swig neu ddau o'r Port Wein i 'olchi'r cyfan i lawr' fel y disgrifir y peth mewn cylchoedd soffistigedig a gwâr.

Tueddu i weld bai – yn wir, i bardduo Sandi 'rhen dlawd – a wnâi gohebydd y papur, ac estyn cydymdeimlad dwys, gyda'r dyfnaf a'r mwyaf diffuant y gallai cenedl gyfan ei rannu, â'r Sandhamiaid trallodus yn eu mawr drueni. Nid bod eu tynged hwy ronyn gwaeth mewn gwirionedd na thynged trigolion o Wynedd oddeutu'r un adeg yn union. Fe achosodd y stormydd a'r gwyntoedd cryfion a gaed bryd hynny doriadau hirion ac enbyd yn y cyflenwad trydan – am rai dyddiau mewn ambell ardal. Gorfu i rai o'r

teuluoedd anffodus hynny hefyd fodloni ar ffa pob ar dost a phwdin reis o dun i'w cinio, a gweld eu twrcïod a'u trimins, o'u difetha, yn cael eu taflu i gŵn oedd filwaith fwy blysig nag a fuasai Sandi druan erioed.

Mae hi fymryn yn anodd, ar derfyn truth fel hwn, ymatal rhag nodi bod rhannau yn bod o'r hen fyd dyrys hwn lle byddai eu trigolion yn fwy na pharod i groesawu ffa pob ar dost a phwdin reis o dun i'w cinio Nadolig. Mae'n ddiamau yr ystyrient wledd o'i bath yn un foethus ryfeddol ... hyd yn oed pe na bai yr un diferyn o'r Port Wein hwnnw ar gael 'i'w golchi i lawr'.

Cofia'r newynog, nefol Dad,
Filiynau trist a llesg eu stad.

Cawsom ni lond ein boliau!

Rhown glod am Geidwad

Pan oedd hi'n nos a'r swrth fugeiliaid
Yn gwylio'u defaid, daeth golau clir,
A chlywyd côr angylion Bethle'm
Yn seinio'u hanthem dros fôr a thir;
Ac yna'r tri gŵr doeth yn dyfod
Ar eu camelod i holi'r gwir,
Y seren fry a'r wawr yn torri
A'r byd yn llonni 'rôl gwewyr hir –
Y golau claer sydd eto'n gry',
Mae'n dal i wanu'r caddug du,
A'r lliwiau'n erlid y tywyllwch,
Nid ydynt fyth yn pylu,
Yr un yw'n cri 'rôl maith flynyddoedd,
Yr un yw'n neges, yr un yw'n cân –
Mae'r byd i gyd yn awr yn effro
Heb anobeithio o dan ei glwy,
Cans rhoed in Geidwad, fe anwyd Ceidwad
Rhown glod am Geidwad, rhown glod byth mwy
Rhown glod am Geidwad ... ayyb

(efel. ar fesur 'Any Dream Will Do',
Tim Rice ac Andrew Lloyd Webber)

Gŵyl othentig

Rwy'n gofidio'n fawr imi golli'r cyfle. Yn wir, rydw i'n difaru am bob blewyn sy ar 'y mhen i. Ac o sôn am wallt pen, gallaf ymffrostio yn y ffaith fod gen i eitha cnwd o hwnnw o hyd, sy'n fwy nag y gellir ei ddweud am rai o 'nghymrodyr. Mae'n wir ei fod wedi newid ei liw yn bur helaeth ers blynyddoedd ond cystal iddo newid ei liw na newid ei le decini!

Colli bargen wnes i, un a gynigiwyd mor rhad i ddyn yn Pound Stretcher neu Hyper Value ('ta Hypa Xtra tybed oedd yr enw uwchben ei drws, petai rithyn o wahaniaeth am hynny) i lawr tua'r sowth 'na, yng Nghors-las ger Llanelli i fod yn fanwl.

A ninnau ar drothwy'r Nadolig dyliwn fod wedi neidio i fanteisio ar gyfle mor euraid a phrin, yn arbennig felly o gofio nad yw cyfleon o'u bath yn dod i ran rhywun meidrol ond unwaith yn y pedwar amser. Ond wnes i ddim, a bydd yn rhaid imi dreulio gweddill fy nyddiau ar yr hen ddaear yma'n dirfawr alaru, oblegid cyfle a gollwyd.

Câi popeth ar un stondin – popeth – ei gynnig am bunt yn unig yr eitem. Roedd pecynnau, er enghraifft, ar gael yn cynnwys tiwnig Siôn Corn, ei legins, ei gap, ei farf wen a hyd yn oed ei sach, a'r rheini'n gwerthu fel slecs; gyrroedd o geirw neu Rwdolffiaid clwt wedyn, ynghyd â moroedd o wadin i greu eira cogio a thunelli o lwch arian i addurno miloedd o sêr plastig. Yn wir, unrhyw beth Nadoligaidd ei naws y gellid breuddwydio amdano: siwtiau amryliw ar gyfer doethion a bugeiliaid, modelau o'r Fair Forwyn, defaid, ŵyn, ychen, asynnod, heb anghofio'r preseb a'r baban yn gorwedd ar ei wely o wair – y cyfan oll i gyd o'r plastig gorau.

Ac ar fy ngwir, beth welwn i'n rhythu arna i oddi ar un o'r silffoedd uchaf ond dwsinau o focsys melyn eu lliw yr oedd pennawd bras yn hysbysebu eu cynnwys gyda chryn falchder: *Get your authentic angel wings here*. A'r rhain eto, credwch neu beidio, yn ddim ond punt y pâr. Sôn am fargen. Nefi blŵ! Ia, *authentic angel wings*. A'r gair 'authentic' hwnnw a fynnodd fy sylw, yr hyn o'i gyfieithu a olygai adenydd angylion go iawn, rhai dilys, cwbl ddiledryw (neu mewn Cymraeg diweddar,

Angel efo adenydd othentig

Leeds

y jeniwein articyl). Ac nid o blastig y'u gwnaed, deallwch. Nid o bapur chwaith, nid o grêp nac o sidan, dim hyd yn oed o blu, ond (yn ôl y manylion ar y bocs) o wneuthuriad cain a gorffenedig rhyw ffibr newydd a phrin.

Meddyliais am y bydoedd newydd a fyddai'n ymagor o flaen rhywun o fod yn berchen ar adenydd angylion go iawn. Nid 'ychydig is na'r angylion' fyddai ei safle wedyn. Byddai gan Gabriel ei hun achos i wylio'i drwmbal.

Dwy adain un angel pe cawn
Ehedwn a chrwydrwn ymhell.

Does wybod pa ddal fyddai ar rywun wedyn. Byddai bod yn aelod o unrhyw nefolaidd gôr yn gwbl bosib. O feddwl ymhellach, ac o gofio fod parau o amrywiol feintiau ar gael yn y siop hudol honno, bûm yn dyfalu beth ddigwyddai petai dyrnaid o 'blant y festri' yn dod yn berchen ar ambell bâr o'r adenydd hynny. Sobrwydd mawr! Gallent wibio fel gwenoliaid dros bennau'r gynulleidfa yn ystod eu perfformiad blynyddol o ddrama'r geni. Yn wir, rwy'n ymatal rhag dyfalu pa giamocs eraill y byddent yn gwbl abl i'w cyflawni.

Ond dyna fo, dacia, cyfle a gollwyd oedd o. A hyd yn oed pe bawn i wedi dychwelyd ar garlam i'r Pound Stretcher neu'r Hyper Value honno, mae'n fwy na thebyg y byddai'r silffoedd erbyn hynny wedi eu sbydu'n lân gan gwsmeriaid eiddgar am yr othentig fel na byddai yr un pâr ar ôl.

Alla i byth faddau i mi fy hun am fy esgeulustod. Ond boed hynny fel y bo bellach, does gen i mwyach ond gobeithio y caiff pob un ohonom Nadolig othentig eleni pan ddaw – mwy othentig, os yw'r fath beth yn bosib, hyd yn oed na phe baem yn berchen ar adenydd angylion Gors-las – Nadolig a fyddo'n un dilys, yn un go iawn, yn un cwbl ddiledryw ... y jeniwein articyl, felly.

Twrci, tinsel a chardiau

Oddeutu'r Diolchgarwch ryw flwyddyn neu ddwy yn ôl bu gen i achos i dreulio deuddydd yn un o drefi glan-môr de-orllewin Cymru. Un noswaith euthum dow-dow ar hyd y rhodfa a oedd yn arddel teitl go grand, sef Yr Esplanâd. Roedd rhu diderfyn y môr i'w glywed islaw imi ond roedd yn glyd a chynnes, yn ôl pob golwg, yn ystafell fwyta eang Gwesty Clarence fel yr awn hebio, gyda deugain a rhagor o wŷr ac o wragedd yn eu hoed a'u hamser wrth y byrddau yno yn mwynhau rhagflas o'r Nadolig ar drip Twrci a Thinsel. Roedd y goeden wedi ei haddurno, y goleuadau yn llachar wincio a'r gwesteion yn claddu o'i hochor hi dan eu hetiau papur amryliw tra bod yr hen grwner bytholwyrdd ac anfarwol, Bing Crosby, yn slyrio'r 'Nadolig Gwyn' yn y cefndir. A doedd hi ond yn ganol mis Hydref.

Rŵan, fûm i erioed fy hun ar drip Twrci a Thinsel, ond os deallaf yn iawn mae cyrchu ar wibdeithiau o'r fath yn rhoi cyfle i bererinion fwynhau holl gyfeddach a rhialtwch yr hen, hen ŵyl o leia ddeng wythnos ymlaen llaw. Ac ail a thrydydd mwynhau ei dathlu hi wedyn hefyd mewn amrywiaeth o ganolfannau, pe dymunent. Ac nid rhyw hen arfer Seisnig, estron, mohono chwaith. Sylwais ar un o gwmnïau gwyliau enwoca'r gogledd 'ma'n hysbysebu ei dripiau Twrci a Thinsel yntau yn ôl yn mis Awst, a'r dewis a gynigiai yn dra amrywiol. Yn wir, câi Cymry da o Fôn ac Arfon a Meirion gyrchu i Gaeredin, Caerfaddon neu Gaersallog, i Southport, Blackpool neu Torquay, mewn siarabangau wedi eu plastro efo'r trimins arferol, i fwynhau'r union ragflas hwnnw dros bum niwrnod hir y tro o ddathlu. Sôn am Ddolig yn yr ha' a chwsberis y gaea' myn brain!

Ond erbyn hyn mae'r Dolig go iawn – beth bynnag a olygir wrth hynny – ar ein gwarthaf unwaith eto, a ninnau'n dechrau dioddef oddi wrth y cur pen arferol ynghylch beth yn union i'w roi yn anrheg i hwn a'r llall. Dilema arbennig gwraig y tŷ acw oedd beth i'w roi i Dewyrth Jac.

'Wyt ti wedi meddwl am y peth?' holodd.

'Rargol, naddo,' atebais innau'n bur ddidaro.

'Mae'n amser tynnu'r gwinadd 'na o'r blew felly, tydi,' arthiodd drachefn, 'Does gen ti 'run syniad?'

'Dim un, mae arna i ofn.'

Ochneidiodd.

'Beth am roi bocs o hancesi gwynion iddo?' cynigiais. 'Ond does 'na ddim byd yn wreiddiol iawn mewn rhoi hen betha felly chwaith, nac oes?'

'Mae bod yn wreiddiol yn costio, llanc,' ddeudodd hi, cyn ychwanegu, 'ac oni fasa ffunan wen neu ddwy yn ddigon handi tasa fo'n mynd i gnebrwn yn rwla, neu petai'n cael dôs o annwyd yn ei ben?'

'Be am bâr o socs?'

'Dyna gafodd o llynadd.'

'Ydi ots am hynny?'

'Ydi, mae o ots.'

'Tei go smart 'ta?'

'Hwyrach na fasa'r lliw ddim yn 'i siwtio fo.'

'Pryna dun o faco a bocs o England's Glory iddo fo, neno'r trugaradd.'

'Ond mi wyddost yn iawn 'i fod o wedi rhoi gorau i smocio ar ôl y pwl dwytha o fronceitus gafodd o ym mis Mai.'

'Fasa fo rywfaint balchach o focs o Ferrero Rocher 'ta? Ma'r rheini'n neis ...'

'A fynta efo clefyd siwgwr?'

'Wn i! Potal o wisgi go rad – y stwff *blended* na o Tesco.'

Ochenaid drom arall. 'Dwyt ti ddim yn trio, wir. Wisgi i ben blaenor Ebeneser?'

'Chlywis i am yr un o'r ffernols yn ei roi yn ei sgidiau chwaith ... llyfr 'ta?'

'Mae ganddo fo lyfr, does.'

'O, wn i ddim, wir. Ond mi wn i un peth – mai niwsans glân ydi'r blincin Dolig 'ma.'

'Ac mi wn inna beth arall – mai dy ewyrth *di* ydi o, nid f'un i, dallta. Dy gyfrifoldeb *di* ...'

A dyna ddechrau edliw teulu acw, i darfu ar yr heddwch rhwng gŵr a gwraig.

Mater arall a gododd ei ben yn fuan wedyn oedd i bwy y dylid anfon y cardiau. A dweud y cyfiawn wir, doedden ni'n dau acw ddim wedi bwriadu anfon yr un cerdyn, oherwydd yr adeg hon y llynedd dwysbigwyd peth ar ein cydwybodau gan gwpwl o'n cymdogion. Haeru oedden nhw (fymryn yn hunangyfiawn, mae'n deg ychwanegu) na ddylem ddisgwyl y cyfarchion arferol drwy'r post oddi wrthynt hwy am eu bod yn bwriadu trosglwyddo'r holl draul o brynu cardiau a'u postio i ryw achos da neu'i gilydd. Ewch a gwnewch chwithau yr un modd oedd yr awgrym i ninnau.

Ar y pryd fe ymddangosai'n syniad rhagorol. Ac yn wir dyna benderfynwyd – hynny yw, cyn i wyneb tra chyfarwydd (yr ymataliaf rhag ei enwi'n awr) wrth stondin Cyhoeddiadau'r Gair yn y 'Steddfod ein temtio drwy gynnig cyflenwad rhad o hen stoc inni. Hwyrach y dylem fod wedi dweud 'Dos yn fy ôl i Satan' wrtho, ond a ninnau'n wan, yn rhai sydd wastad yn sgut am fargen, ildiwyd i'w berswâd.

Ac felly postiwyd dwsinau ar ddwsinau, yn agos i gant a hanner ohonynt. Nid bod stamp wedi ei sodro ar bob amlen chwaith. Yn enw darbodaeth penderfynwyd dwyn peth o gyfrifoldeb y postmon oddi ar ei ysgwyddau drwy fynd o gwmpas y cartrefi agosaf, eithr o dan lenni'r nos, i'w dosbarthu ein hunain.

Er ein bod o flwyddyn i flwyddyn fel hyn yn dal i ofyn i ba beth y bu'r golled hon hefyd. Yr unig gysur yw fod cardiau Cyhoeddiadau'r Gair o leia yn rhai digon addas ar gyfer yr achlysur ac yn rhai sy'n cyfleu'r neges briodol, yn tanlinellu neges Gŵyl y Geni, felly. Ac y mae hynny'n fwy nag y gellir ei ddweud am y cawodydd a dywelltir drosom o sawl cyfeiriad erbyn hyn.

Fel roedd hi'n digwydd bod, oddeutu'r Ystwyll flwyddyn yn ôl, cymerais yn fy mhen i wneud astudiaeth led-fanwl o'r cardiau a ddaethai acw – cyfanswm o gant a hanner namyn tri. Eithr prin fod cysylltiad o fath yn y byd rhwng y mwyafrif ohonynt a gwir ystyr yr hen ŵyl, chwaith. Mae'r ystadegau canlynol yn ddadlennol.

Chwe cherdyn ar hugain â llun y Robin Goch arno. Dau ddwsin o ddynion eira. Cŵn, cathod, asynnod a ballu: pedwar ar bymtheg. Pymtheg Sion Corn. Coed pinwydd, rhai eto o dan eira: tri ar ddeg. Torchau celyn: naw. Defaid yn llochesu wrth fôn clawdd: wyth. Pump o atgynyrchiadau o waith Kyffin Williams. Tylluanod: pump arall. Pedair colomen. Ceffylau yn tynnu'r goets fawr: pedwar arall. Amrywiol diddosbarth: saith. Ac yna, o'r diwedd (syrpreis, syrpreis a haleliwia), y Forwyn Fair a'i baban, er mai tri yn unig a gaed o'r rheini. Tri hefyd o fugeiliaid yn gwylio'u praidd liw nos ynghyd â dau o dri gŵr doeth yn dilyn seren. Y cyfan oll i gyd yn gwneud cyfanswm o ddigon agos i gant a hanner namyn tri, ond dim ond canran fechan fach ohonynt oedd ag unrhyw gysylltiad â'r hen, hen stori.

A'm helpo innau erbyn y diwedd canys rhwng gweld tripiau twrci a thinsel yn cael eu cynnal yn gynt ac yn gynt o flwyddyn i flwyddyn, heb anghofio'r ymbalfalu am weledigaeth pa beth i'w roi i ewythrod Jac y byd hwn, ynghyd â sylwi ar y mathau o gardiau a ddaw i'n haelwydydd ar drothwy'r ŵyl bellach, roedd fy mhen i, druan, wedi dechrau troi a throi mewn dryswch mawr. Oni bai, wrth reswm, 'mod i wedi datblygu'n dipyn o hen grintach yn ddiweddar – y Scrooge sydd mor barod i warafun hawl i bobl gyffredin i fwynhau mymryn o hwyl diniwed gefn gaeaf fel hyn. Rwy'n dechrau simsanu braidd.

Tybed ai Hilda Ogden, y sylwebydd graff honno a fu'n un o gonglfeini opera sebon nid anenwog, oedd yn llygad ei lle pan haerodd unwaith ein bod ni bobl capal wedi mynd yn hen bethau od o ddigywilydd yn ddiweddar, yn mynnu llusgo crefydd hyd yn oed i ddathliadau'r Nadolig erbyn hyn? Er, gallai rhywun daeru mai un ddigon llipa ei diwinyddiaeth fu'r hen Hilda erioed. Wn i ddim, neno'r tad! Ond y mae'n ddiamau mai ymbil a wnâi hithau, yn ei ffordd od ei hun, am fedru cyfranogi peth, o leia, o ffydd y bugeiliaid, gobaith y doethion, cariad Mair a llawenydd yr angylion unwaith eto ar derfyn blwyddyn arall.

Rhai o'r cardiau Robin Goch

Wrth gydio yng nghlust cangarŵ

Dyna greadur od yw cangarŵ! Daw englyn o waith y diweddar J. T. Jones, Porthmadog i'r cof o feddwl amdano:

> A fu lamwr cyflymach – neu fwy gwyllt,
> A fu gawr digrifach?
> Gall hwn heb lol mewn bolsach
> Gario'i bert gangarŵ bach.

I'r dim fel disgrifiad o'r creadur, wrth reswm. Ac o gydio yng nghlust un cangarŵ dro yn ôl y bu i mi gofio am y digwyddiad ... er mai panda, mewn gwirionedd, oedd yn gyfrifol am yr anffawd a allasai'n wir fod wedi troi'n drasiedi fawr yn fy hanes. Bu ond y dim i'r dywededig banda, y Nadolig hwnnw, â'm gyrru i fedd hynod gynnar. Nid bod gen i yr un co' o'r hyn ddigwyddodd, gan nad oeddwn i ond rhyw gwlin blwydd oed go dda ar y pryd. Dibynnaf ar dystiolaeth fy rhieni ac aelodau eraill o'r teulu a fu'n mynych adrodd manylion yr hanes am y styrbans fawr a'r ddihangfa gyfyng a gafodd yr hogyn Wil pan oedd o'n fabi.

Ond mwy am hynny yn y man. Cystal dychwelyd, am y tro, at y cangarŵ. Hwnnw, fel yr awgrymais, fu'r sbardun i mi gael fy atgoffa o'r peth drachefn. Nid 'mod i wedi crwydro cyn belled â'i gynefin yn Awstralia i gydio yng nghlust y marswpial a'r llamwr cyflym hwnnw. Na'r un sw petai'n dod i hynny. Cydio yng nghlust tegan clwt o gangarŵ coch wnes i wrth chwarae un bore efo'r ieuenga o blith fy wyrion i lawr yng Nghaerdydd, a sylwi ar rybudd ar label y tu ôl i'r glust honno – rhybudd doeth a thra amserol: 'Mae'r tegan hwn yn anaddas ar gyfer plant o dan dair oed oni fyddo o dan oruchwyliaeth oedolyn'. Ychwanegwyd '*due to possible shedding of the fabric*' rhag i'r bychan wthio'r fflyff i'w geg a thagu.

A dyna pryd y daw'r panda'n rhan o'r drafodaeth, sef y creadur bach annwyl a chydli hwnnw, y trysor cenedlaethol prin sy'n hanu o fforestydd llaith ardaloedd mynyddig Sichun, Shanjxi a Gansu yn China. Creadur ciwt i'w ryfeddu yw'r panda, ond un sobor o ddiog yn ogystal, yn ôl y sôn, yn gwneud y nesaf peth i ddim oll am bymtheng awr a rhagor bob dydd namyn storgajio dail a blagur bambŵ cyn syrthio ohono wedyn i drwmgwsg hir, fel nad yw hyd yn oed rhoi ystyriaeth i fridio er sicrhau parhad ei hiliogaeth yn uchel iawn ar restr ei flaenoriaethau! Ystyriwch Chi Chi a fu'n gymaint o atyniad i'r miloedd yn Llundain rhwng 1958 a 1972 a'r garwriaeth ysbeidiol ac oriog – yn wir, dymhestlog – a fu rhyngddi ag An An.

Anrheg Nadolig i'r babi gan aelod caredig o'r teulu oedd y tegan clwt o banda, mae'n debyg, ond yn wahanol i'r tegan clwt o gangarŵ (am nad oedd pwys mawr yn cael ei roi ar Iechyd a Diogelwch yn y cyfnod pell yn ôl hwnnw) roedd y panda clwt yn gwbl amddifad o unrhyw fath o rybudd y tu ôl i 'run o'i glustiau. A dim oll i nodi y gallai fod yn anaddas ar gyfer plentyn o dan dair oed, chwaith.

Eto i gyd, ac ar waetha popeth, bu inni'n dau yn syth ddod yn gyfeillion mynwesol, cwbl anwahanadwy. Tuedd pob babi yw stwffio popeth y gall ymaflyd ynddo i'w geg, a doeddwn inna, yn ôl pob tebyg, ddim yn eithriad, felly ar lygad y creadur yr anelais i. Hwyrach iddi gymryd peth amser ond o daer ddyfaldoncio ac o dyrchio caled a chyson llwyddais i ddiberfeddu'r llygad hwnnw o ben y truan. Ond ymddengys nad oedd pwy bynnag a oedd yn gyfrifol am fy ngwarchod wedi rhagweld y peryg fod pin yn rhan o'r llygad er mwyn gwthio'r llygad i ffabrig y pen. Cyn gynted ag y llwyddais i'w ryddhau, i'm ceg yr aeth yn syth – a rhaid bod blas nodedig arno canys ar ôl tipyn o gnoi roedd y llygad (a'r pin) wedi diflannu o'r golwg i lawr y lôn goch.

Fel y gallwch ddyfalu, bu strach sylweddol wedyn. Panig llwyr a chwbl afresymol. Onid oedd y babi wedi llyncu'r pin a'r llygad o ben y panda? Beth ar wyneb daear fawr wnaen nhw, a hithau'n Ddolig o bob amser a bron bopeth a phobman ar gau? Doedd dim amdani ond galw'r doctor, beth bynnag allai hyd yn oed hwnnw ei wneud mewn sefyllfa mor eithriadol ddyrys.

Ac yn ei amser da ei hun fe gyrhaeddodd yr hen Ddoctor Jôs o Amlwch – y Syr Thomas, neb llai, yn ddiweddarach, dealler – i holi beth yn enw popeth byw oedd achos y fath helynt. Doedd dim disgwyl iddo fod yn ei hwyliau gorau ac yntau, cyn cael yr alwad, ar fin eistedd i lawr i fwynhau ei dwrci.

'Pwyllwch, Magi bach, neno'r trugaradd, pwyllwch.' Dyna ddywedodd o wrth Mam. 'O wrando arnoch chi'n bytheirio mi fuasai rhywun yn meddwl fod y byd ar ben.' Cyn ychwanegu heb addo fawr o gysur, 'Ma' gin i ofn na allwch chi na finna na neb arall chwaith wneud fawr ddim ynghylch y peth ar hyn o bryd ... ar wahân i feddwl am agor y mymryn ... a does neb call yn argymell gwneud hynny – ar hyn o bryd, beth bynnag. Dim ond gobeithio y daw'r hen beth drwyddo yn hwyr neu'n hwyrach, yntê. Yn y cyfamsar mynadd pia hi ... dim ond i chi gofio archwilio'i glwt o bob tro y byddwch chi'n 'i newid o ... ond galwch fi eto ymhen rhyw wythnos go dda oni fydd 'na rwbath wedi digwydd, yn gnewch?'

Wythnos go dda, wir! Aros nes byddai'n Galan? Roedd hynny'n hwy na thragwyddoldeb i gwpwl o rieni pryderus yn eu dirfawr wewyr.

Aethai yn agos i bedwar diwrnod da heibio a dim oll wedi digwydd, ond ar fore'r pumed, yn dilyn yr archwiliad plygeiniol manwl arferol, gwelwyd y llygad gwydr a phin hir ynghlwm wrtho yn serennu yng nghanol ... yng nghanol ... wel, cystal yn enw lledneisrwydd ei alw 'y llenwad boreol'! A bu wedyn, afraid ychwanegu, ar yr aelwyd honno yng ngogledd Ynys Môn dangnefedd a llawenydd mawr dros ben.

Teg yw gofyn ar y terfyn fel hyn a oes unrhyw wers y gellir, neu y dylid, ei dysgu o'r digwyddiad a allasai'n wir fod wedi datblygu yn un llawer gwaeth – yn un yr oedd iddo bosibiliadau mor drychinebus. Mae'n wir i mi ddod drwyddi'n wyrthiol o ddianaf, diolch i ragluniaeth garedig oedd o'm plaid, er y dylai fod yn amlwg i bawb, 'ddyliwn, o bwyso a mesur popeth, nad oedd deiet yn cynnwys llygad gwydr, y gellid â phin ei stwffio i benglog unrhyw banda, yn gwbl addas ar gyfer babanod ychydig dros eu blwydd oed. Dim ond camdreuliadau go sinistr ac erchyll fyddai i'w disgwyl wrth fabwysiadu'r fath drefn.

A dyna'r meddyliau a ddôi i ddyn wrth gydio yng nghlust y cangarŵ coch hwnnw i lawr tua'r Caerdydd 'na'n ddiweddar, ac ar ôl darllen yr hyn oedd yn argraffedig ar y label o rybudd oedd yn hongian oddi wrthi. Wrth gwrs fod pob baban yn haeddu cael anrheg ar fore'r Nadolig. Oni chafodd hyd yn oed y baban a anwyd ar y Nadolig cyntaf hwnnw ym Methlehem Jwda dri? Eto i gyd, dylai pob un ohonom roi dwys ystyriaeth i'r math o beth sy'n addas i dodlar blwydd oed boed hynny ar y Nadolig neu yn wir ar unrhyw adeg arall o'r flwyddyn.

Y sawl, felly, sydd ganddo glustiau ... clustiau tebyg i eiddo'r cangarŵ hwnnw ... i wrando, wel, yn wir, gwrandawed.

Wrth gydio yng nghlust cangarŵ

Annwyl Santa ...

Ymhlith lluoedd dirifedi o bethau eraill, tymor dangos hen, hen ffilmiau ar deledu yw'r Dolig, a does dim dwywaith na ddaw cyfle y tro hwn eto, am y canfed tro, i ymborthi ar y bwydydd glwth a gynigir gan y ffefrynnau poblogaidd: Pont dros afon Kwai, *Mary Poppins, Doctor Zhivago, Lawrence of Arabia, Indiana Jones, Chitty Chitty Bang Bang* a'u siort. Dyna'r bytholwyrdd *Gigi* wedyn, gyda'r hen batriarch annwyl hwnnw, y diweddar Maurice Chevalier, yn ei ffordd ddigymar ei hun yn slyrio'i gytgan:

> Thank heaven ...
> Thank heaven for little girls,
> For little girls get bigger every day ...

Wrth i'r hen flynyddoedd 'ma bellach brysuro i garlamu rhagddynt ac i un Nadolig fynd ac i un arall ddod, choelia i fyth nad yw geiriau'r hen gytgan hwnnw yn mynnu loetran a chorddi fwyfwy yn y meddwl – yn enwedig, mi gredaf, ymhlith y canol oed, ac yn fwyaf penodol y cyplau hynny o'n plith y mae eu plant eisoes wedi hen adael y nyth. Rydw i'n weddol sicr y bydd y brid hwnnw yn teimlo eu bod ar yr un donfedd â mi ac yn amau, hwyrach, a oes diben mewn gwirionedd ategu'r hen grwner a rhoi diolch am y fath beth (hynny yw, rhoi diolch bod eu hepil wedi tyfu ac wedi rhoi heibio eu pethau plentynnaidd).

Ystrydeb hwyrach, ond gwireb yr un pryd, yw datgan unwaith eto mai amser i blant ydi o, ac yn fy nydd fe rygnais innau lawer ynghylch y gwirionedd hwnnw. Coffa da am yr hwyl a'r miri pan oedd Santa'n bod. Blynyddoedd prin, er ein bod ni hyd yn oed bryd hynny wedi rhagweld na fyddai pethau'n aros felly'n hir chwaith. Yn hwyr neu'n hwyrach, gwyddem y dôi'r dyddiau blin, y rhai na fyddai unrhyw ddiddanwch ynddynt, pan fyddai'r ddau acw a fu'n gredinwyr mor frwd wedi troi yn anghredinwyr rhonc.

Doedden ni ddim ond yn ei haros hi, a buan y dechreuodd y craciau ymddangos. Rwy'n cofio mynd i'w llofftydd am wyth o'r gloch un bore'r ŵyl. Ar y pryd roedd yr ieuengaf ar fin bod yn ddeuddeg a'r hynaf ychydig dros ei thair ar ddeg.

'Hei, symudwch, lats,' anogais, wrth ddal i ddymuno parhad y gêm gogio, 'codwch i edrach ydi o wedi bod.'

I Sion corn

Gobeithio rwyt ti wedi cael blwyddyn dda!!!

Diolch am yr anrhegion blwyddyn dwethaf.
Roeddam ni'n gobeithio ni wedi bod yn dda blwyddyn yma i cael mwy.

Ydy mali yn gallu cael, Peppa pig kitchen, Peppa pig: Annual 2017, Peppa Pig giant floor puzzle a 3 supreis.

ac ydw i'n gallu cael
Snackeez, Sum sum canolig, High School musical puzzle ball, Shakespeare schools fest t-shirt a 3 supreis

DIOLCH AM DY GWAITH CALED ODDI WRTH ERIN A MALI

-X-

Ond roedd rhyw hen sinigiaeth wedi prysur afael ynddynt erbyn hynny.

'Chwarae teg, Dad, dwi isio cysgu,' oedd ymateb digon piwis y naill wrth iddo droi â'i wyneb tua'r pared.

'Big deal!' ebychodd y llall cyn ychwanegu'n snoti, 'Iawn os wyt ti isio cweilio'r peth, ond plis gad lonydd i ni ...'

Dair blynedd ynghynt fe fuasent wedi bod ar eu traed ers oriau lawer, eithr y dynged a'n wynebai ni rieni cystuddol bellach oedd yr orfodaeth i hiraethu am y diniweidrwydd coll ac i ddwys fyfyrio uwchben cwpled o eiddo Alan Llwyd:

Nid yw'r wefr ond byr o dro,
Gwefr ddoe'n gyfarwydd heno.

A doedd hynny ond dechrau gofidiau. (Erbyn hynny hefyd, os caniateir imi grwydro rhyw gymaint oddi ar fy mater, roedd hi'n ymddangos bod y sylw a wnaed unwaith gan ryw ŵr doeth rywle wedi taro'r hoelen ar ei phen. Haeru wnaeth o mai dim ond tri chyfnod pendant sydd ym mywyd pob dyn. Yn y cyntaf mae'n llwyr gredu ym modolaeth yr hen Santa. Yn yr ail y mae'n ei lwyr wadu. Erbyn y trydydd ef *ydyw* Santa Clôs.)

Ond i ddychwelyd at fy mhwnc. Fe gofiwch hwyrach imi gyfeirio eisoes at y ffaith imi, am flwyddyn neu ddwy unwaith, wirfoddoli i fod yn gynorthwy-ydd i Santa gan weithredu ar ei ran ym mharti Nadolig un ysgol yma yng Ngwynedd. Ond wedi i ddyn weithredu yn y rôl honno am oddeutu tri thymor fe ddechreuodd rhai o'r plant, y tacla bach drwg iddyn nhw, weld drwydda i. Fe ddechreuasant ddadlau nad Santa Clôs go iawn, chwedl nhwtha, oeddwn i, ond gŵr Mrs Ŵan! Yn wir, aethai un mwy digywilydd na'r gweddill mor bell â 'nghornelu i ym mabolgampau'r un ysgol ar brynhawn chwilboeth o Orffennaf drwy ddweud yn giamllyd gyhuddgar, 'Mi gwelwn chi Dolig, gwnawn? Chi ydi Santa fan hyn yntê?'

Roedd hi'n awr o argyfwng. Daethai'n rheidrwydd arnaf i wneud rhywbeth ynghylch y mater, ac ar y mab acw, crymffast dwylath ugain oed erbyn hynny, y syrthiodd y coelbren. Ar ôl cryn berswâd pan gynigiwyd iddo bob math o lwgrwobrwyon, fe ymatebodd yntau i'r alwad ac fe gytunodd i ymwisgo yn y regalia arferol, cyn ymrithio'n Santa newydd sbon nad oedd beryg i'r un enaid ei adnabod!

Unwaith yr ymddangosodd ar lawr y neuadd i gyfeiliant clychau a sŵn gorfoledd fe sylweddolais innau gyda chryn falchder tad fod imi olynydd tra theilwng. Roedd wedi cymryd at y swydd fel cath at lefrith ac yn ysgwyddo'i gyfrifoldebau arswydus yn aeddfed hyderus. Siaradai'n dadol efo'i gynulleidfa. Codai ambell ben cyrliog melyn mwy parablus na'i gilydd ar ei lin i dynnu sgwrs ag o, tra llwyddai ar yr un pryd i leddfu pryderon unrhyw greadur bach gwinglyd a nerfus. Roedd o'n ddymunol, clên a siriol, ond eto'n nawddoglyd batriarchaidd, yn union fel y dylai ymagweddu, ond o dan y colur edrychai'n rhy drybeilig o ifanc, rywsut, i fod yn Santa. Mor galed oedd yr orfodaeth ar rywun i ddygymod â'r sefyllfa, yn arbennig â'r ffaith ei fod o bellach wedi tyfu'n ddyn, gan fy ngadael inna yno i'm holi fy hun yn ddryslyd – i ble'r aeth yr hen flynyddoedd 'ma?

Yr un pryd, mynnai 'Y Gofaint', cerdd gan y diweddar Goronwy Wyn Williams, bardd o Borthmadog, ymwthio i'r cof:

Fe geisiwn godi'r ordd o'r llawr
A tharo gyda hi,
Fy Nhad yn of yn nydd ei nerth
A wenai arnaf fi,
'Fy machgen gwyn, mae'r ordd yn fawr
Ac yn rhy drom i ti.'

Fe lithrodd hanner oes i ffwrdd
A chydnerth ydwyf fi,
Tebol i godi unrhyw ordd
A tharo gyda hi –
Ond nid yw 'Nhad yn cynnal gwaith
Yr efail gyda mi.

Fy mhlentyn hynaf heddiw oedd
Yn llusgo gordd ei Dad,
Rhy fawr yw hon i grwtyn gwan
Ond daw i'w lawn ystâd –
Daw iddo'r dydd i drin yr ordd,
Af finnau at fy Nhad!

Cerdd fach seml, hwyrach, ond un sy'n cyfleu gwirionedd oesol. Roedd y cylch wedi rhoi'r tro cyflawn hwnnw yn fy hanes innau, ond wedyn, 'rôl ystyried, onid felly'n union y dylai pethau fod yng nghwrs y drefn? Ymuno'n frwd yng nghytgan 'rhen Chevalier a ddyliwn, mae'n debyg, a'i morio hi'n ddiolchgar.

Nid bod hynny'n hawdd bob amser chwaith. Ar un wedd y mae'n drueni fod plant rhywun yn newid ac yn tyfu, er y byddai llawer mwy i boeni o'i blegid petaen nhw ddim. Ond petawn i heno yn cael anfon fy llythyr cais fy hun at yr hen ŵr caredig sy'n gorfod troi allan ar noson ddi-sêr, ddiloergan, ym musgrellni'r flwyddyn i ddosbarthu ei anrhegion, rhywbeth tebyg i'r canlynol fyddai'r rhediad:

Annwyl Santa,

Dydw i ddim isio fawr gynnoch chi bellach – dim ond un peth bach 'leni beth bynnag.

Cloc faswn i'n lecio ei gael plis. Does dim angan ichi fynd i'r draffarth o chwilio am un efo lot o ffrils a ffigiaris o'i gwmpas o, cofiwch, dim ond 'i fod o'n union 'run fath â hwnnw welis i mewn amgueddfa werin yn Nenmarc ryw dro, yr un bach ciwtia 'rioed, y math o gloc y mae ei fysedd o rownd y rîl yn troi yn ôl a chitha a finna yn medru symud yn ôl mewn amsar efo fo. Ac os medrwch chi gael un, rydw i yn addo – wir yr – na wna i ddim swnian na dŵad ar ych gofyn chi am hir eto – dim ond ichi gofio galw heibio bob noswyl y Dolig o hyn ymlaen i'w weindio fo am flwyddyn arall, yntê ...

Diolch yn fawr ichi ...

Herwgipio'r baban

Mae gan y diweddar lenor o Wyddel, Frank McCourt, glasur o hunangofiant sy'n dwyn y teitl *Angela's Ashes*, lle mae'n rhoi ar gof a chadw, yn eithriadol fyw a gyda gonestrwydd mawr, ond ag elfen gref o hiwmor iach yr un pryd, blentyndod diarhebol o dlawd a difreintiedig a dreuliasai yn un o slymiau dinas Limerick. Adrodda stori a glywsai gan ei fam am bennod yn ei phlentyndod hi, pan oedd oddeutu chwech i saith oed, pan aeth ati un Dolig i herwgipio'r baban Iesu.

Roedd hi, Angela, yn ôl y sôn, wedi dechrau poeni ynghylch y baban a oedd yn gorwedd yn ei breseb ar lawr festri Eglwys Sant Joseph. Roedd hi'n llawer rhy oer iddo'n gorwedd ar ei gefn yn y preseb fan honno, meddyliodd. Roedd hi ei hun yn gwybod beth oedd teimlo'n oer weithiau. Gwyddai'n burion beth oedd bod yn oer, ac yn llwglyd hefyd, a phenderfynodd wneud rhywbeth ynghylch y peth, heb feiddio sôn am ei bwriad wrth undyn byw. Rai dyddiau cyn y Nadolig oedd hi, a phawb yn yr ysgol Sul yn rhy brysur i sylwi ar eneth fechan a oedd yn cerdded yn y cysgodion yn cario rhywbeth yn ei hafflau.

Roedd y gwynt yn fain wrth iddi gerdded o lech i lwyn tuag adre, yn ystyried sut, tybed, y gallai lithro i'r tŷ heb i neb ei gweld. Penderfynodd na fuasai'n mentro drwy'r drws ffrynt, felly aeth ar hyd yr ale dywyll a cheisio dringo dros y wal i'r ardd gefn. Gafaelodd yn y baban gerfydd ei goesau bach a'i luchio drosodd er mwyn iddi hithau allu sgrialu ar ei ôl gynted fyth ag y gallai. O drugaredd doedd y bychan ddim wedi cael yr un anaf wedi'r godwm er ei fod wedi cael cryn ysgytwad, druan.

Agorodd y drws cefn cyn iddi ei gyrraedd a gwelodd Patric, ei brawd bach, yn sefyll yn stond o'i blaen. I roi taw ar ei holi bu'n rhaid i Angela egluro ei bod yn edrych ar ôl y baban, ond gan fod y brawd bach yn dipyn o brep dywedodd hwnnw wrth ei fam fod Angela wedi cidnapio'r baban Iesu!

Doedd neb yn ei gredu i gychwyn ond gan iddo ddal i rygnu ar yr un hen gân penderfynodd ei fam yn y diwedd fynd i fyny i'r llofft i weld drosti ei hun. Ar ôl darganfod y gwir brasgamodd y fam i lawr y grisiau, bwriodd y baban yn ddiseremoni i hen focs sgidia ac o fewn dim roedd y teulu cyfan, fel rhes o filwyr, yn martsio'n dalog un ar ôl y llall i'w gludo'n ôl at Mair a Joseff, a oedd erbyn hynny wedi teimlo mor arw o'i golli o Festri Eglwys Sant Joseph.

Cawsant sioc o agor drws y festri a gweld offeiriad y plwy, y Tad Creagh, a phlismon boliog, ffyrnig, yn eu hwynebu. Bu'n rhaid i Angela druan gyfadde'r cyfan ond er syndod i bawb, chafodd hi ddim cerydd pellach. Methai'r Tad Creagh â chuddio rhyw hanner gwên, a throdd y plismon tew ei gefn ar y teulu i gymryd arno ei fod yn chwilio am rywbeth yn un o bocedi ei diwnig.

Bu'n rhaid i Angela, er hynny, osod y baban yn ôl yn ei breseb cyn dychwelyd gartre, yn dal i brotestio'n ffyrnig ei bod yn beryg bywyd gadael un mor fychan mewn hen le o'r fath. Beth petai'n cael annwyd, neu dwtsh o fronceitis, neu ddôs go egar o'r ffliw?

Ond roedd hi'n dal i weld y wên fach hyfryd honno a oedd wastad ar wyneb y baban wrth iddi ddychwelyd, yn waglaw ac yn ddigon penisel, i'r tŷ.

A dyna stori Angela fel yr adroddwyd hi i'w mab, Frank McCourt, ymhen blynyddoedd lawer wedyn. Sydd yn bownd o arwain rhai ohonom i holi beth yn union, oddeutu'r Nadolig fel hyn, yw ein bwriadau ninnau ynghylch y baban Iesu? Ai bod yn ddi-hid a difater ohono gan ei adael ar drugaredd yr oerfel a'r gwyntoedd croesion sydd fel petaent yn crynhoi'n gynyddol o'i gwmpas yn hyn o fyd? Ai ei groesawu'n frwd i'n cartrefi a chynnig iddo glydwch, cynhesrwydd a lletygarwch ein haelwydydd?

Dim ond gofyn ... cyn gadael pob un ohonom, wrth reswm, yn y pen draw i ateb drosto ef ei hun.

Ai eiddo lladrad?

Rwyf newydd ei dynnu o'i focs ac yn cydio ynddo'r union eiliad hwn. Clip tei o aur naw carat a gyflwynwyd imi'n rhodd rai dyddiau cyn y Nadolig y flwyddyn honno. Fe gostiodd grocbris bychan i'w brynu, mae'n ddiamau. A chymryd mai ei brynu yn onest a wnaed. Ond mae gen i fy amheuon!

Aeth yn agos i drigain mlynedd heibio ers hynny, ond mae'r sglein arno'n aros heb fod arno chwaith na staen nac unrhyw awgrym o frychni. Dim ond yn achlysurol y byddaf yn ei wisgo rhag imi ei golli, canys rwy'n ei ddirfawr drysori. A ph'run bynnag, nid yw trugareddau o'i fath yn ffasiynol yn hyn o fyd y dwthwn hwn.

Diwedd 1960, dyna'r flwyddyn. Athro ifanc ar fin cwblhau tymor o wasanaeth yn Ysgol Uwchradd Arnot yn ardal Walton ar lannau Merswy oeddwn i ar y pryd, ysgol nid nepell o Barc Goodison, a oedd yn hwylus dros ben o gofio i mi fod yn gefnogwr brwd i Everton ar hyd fy oes. Er nad yw'r ysgol yn sefyll ar y safle honno bellach chwaith. Dymchwelwyd yr adeilad ychydig flynyddoedd wedi imi adael a chodwyd archfarchnad cwmni Kwiks, o bob dim, yno yn ei lle. Priodol dros ben, bernais! Ond mae'n eitha posib nad edwyn cwmni Kwik Save chwaith ei le yno bellach, er na fûm i heibio'r ardal ers pobeidiau lawer.

Roeddwn i wedi'm hapwyntio i swydd ym Mhorthmadog ar ddechrau Gorffennaf 1960 ond roedd telerau fy nghytundeb gydag Awdurdod Addysg Lerpwl yn gwarafun imi adael bryd hynny, a gorfu imi aros hyd ddiwedd Rhagfyr a diwedd tymor y Nadolig cyn y cawn fy rhyddhau. Golygodd hynny 'mod i'n cael y fargen salaf o'r cwbl am y tri mis olaf, fy nhynghedu i ofalu am 4D, criw o ysgolheigion preiffion ffrwd isaf Ysgol Uwchradd Fodern y buasai mwy na'u hanner i mewn ac allan o sefydliadau i gywiro troseddwyr ifanc gydol yr adeg y bûm yno. Ac fe ddisgwylid i mi, druan ŵr, fod yn gyfrifol am gyfrannu o'm gwybodaeth ddihysbydd honedig hyfforddiant iddynt ym mhob pwnc o dan haul o'r cwricwlwm, ac eithrio peth gwyddoniaeth a gwaith coed! Hyd yn oed Mathemateg, pwnc yr oeddwn i wedi gwir ymddisgleirio ynddo yn ddisgybl yn hen Ysgol Syr Tomos rai blynyddoedd ynghynt pan lwyddais unwaith yn y pumed dosbarth i sgorio cymaint â phum marc yn unig allan o gant mewn algebra! Sôn am y dall yn tywys y dall! Mae'n dda na ddaeth yr un ymgynghorydd addysg na chwaith gynrychiolydd o blith Arolygwyr ei Mawrhydi i roi eu llinyn mesur arnaf yn ystod y tymor hwnnw. Pe baent wedi digwydd taro i mewn byddent wedi cael cryn agoriad llygad.

Na, yn sicr ni ragwelid oes hir i unrhyw athro y deuai i'w ran y dynged greulon o geisio cadw gwastrodaeth ar griw o grymffastiau pymtheg oed 4D ar eu blwyddyn olaf, a hwythau'n ysu am gefnu ar fyd addysg am byth. Ond rywsut rywfodd, wn i ar y ddaear fawr sut – a chael a chael fu hi – llwyddais i oroesi.

Y ddwy ddraenen fwyaf pigog yn fy ystlys o ddechrau hyd ddiwedd yr hunllef hwnnw o dymor fu Albert Brown a Sammy O'Reily. Albi a Sami, fel y'u hadwaenid gan eu cymrodyr. Nhw, o ddigon, oedd y pechaduriaid pennaf a mwyaf anystywallt. A bu galed iawn y bygylu rhyngddom.

Roedd Albert druan yn hanner byddar, a'r anabledd hwnnw yn creu pob mathau o rwystredigaethau iddo fel ei fod ar adegau, o'r herwydd, yn sobor o anodd ei drin. Mewn sefydliad ar gyfer rhai a chanddynt anghenion addysg arbennig a dwys y dylai'r creadur fod wedi ei osod, er nad oedd fawr sôn am foethau o'u bath bryd hynny.

Ac am Sami, roedd ganddo ef record o fân ddrwgweithredu y tu allan i oriau'r ysgol y byddai unrhyw griminal aeddfetach, ddwywaith neu deirgwaith ei oed, yn fwy na balch o'u harddel. Rhagwelid dyfodol disglair iddo yn ei ddewis faes. Yn wir, roedd hi'n ymddangos fod y llwybr llydan oedd yn arwain i ddistryw yn ymagor yn unionsyth o'i flaen.

Eto i gyd, er gwaethaf popeth, â gweddill y dosbarth wedi ei gl'uo hi am eu hoedl am adre y pnawn ola hwnnw o'r tymor, a minnau'n prysur gasglu fy mhethau at ei gilydd cyn ysgwyd llwch yr hen le'n derfynol oddi arnaf, pwy oedd wedi penderfynu aros ar ôl ond y ddau fwrddrwg, Albi a Sami.

'*You two must like it here so much that you're not in any great hurry to leave ...*' meddwn i wrthynt yn wawdlyd reit.

Tynnodd Sami rywbeth o'i boced. Wedi ei lapio'n flêr mewn darn o'r *Daily Mirror* roedd y clip tei aur, ac fe'i cyflwynodd imi gyda'r geiriau, '*Just to show that there are no hard feelings, Sir ...*'

Tro Albi oedd hi wedyn. Paced pump o Wdbein (roeddwn i'n ysmygwr brwd bryd hynny) ynghyd â bocs o Swan oedd ei offrwm o. Cynigiodd ei law yn betrusgar ac wrth imi ei hysgwyd yr unig beth ddywedodd o oedd, '*Happy Christmas Sir*.'

A'r dwthwn hwnnw y daeth Herod a Philat yn gyfeillion!

Allwn i ddweud yr un gair. Roeddwn i wedi'm trechu. Cawn fy nirdynnu gan fy nghydwybod. Onid oeddwn wedi blagardio cymaint ar y ddau gydol y tymor a aethai heibio, wedi taranu, wedi rhefru, wedi bygwth, wedi bytheirio ... Ac yn awr yr oedd euogrwydd fel mynyddoedd yn fy llethu. Roedd hi'n ymddangos eu bod wedi maddau y cwbl oll imi.

Nawr, ac mae'n eitha posib 'mod i'n cyfeiliorni'n ddifrifol iawn, cofiwch, ac yn gwneud cam dirfawr â'r ddau, ond eto roeddwn i'n barod i daeru'r du yn wyn mai bachu'r clip aur o siop gemydd yn County Road gerllaw a wnaethai Sami, crefft fel yr awgrymwyd eisoes yr oedd yn bencampwr ac yn gryn giamstar arni. Yr oedd gen i yr un argyhoeddiad mai dyna a wnaethai Albi yntau yn achos y paced Wdbein, er na fu amddifadu eu perchennog hwy o ddim ond pump o'r cyfryw rai yn golled ry drom, hwyrach, i unrhyw fânwerthwr o'r ardal!

A allwn i dderbyn rhywbeth oedd yn eiddo lladrad? Eiddo lladrad honedig, beth bynnag. Dyna fy nilema i y prynhawn hwnnw. Do, fe fu imi holi 'nghydwybod yn eitha caled ond yn gam neu'n gymwys, yn absenoldeb tystiolaeth bendant – a wnes i ddim holi – penderfynu eu derbyn a wneuthum yn y diwedd. O leia roedd calonnau y ddau yn y lle iawn. Wedi'r cyfan, nid y nhw oedd ar fai. Onid cynnyrch eu cefndir a'u magwraeth dlawd mewn ardal hynod ddifreintiedig oedd y ddau? O ran tegwch, gellid dadlau na wydden nhw fawr amgenach. Onid drwy ras ac ati ... ?

Ac fe fûm yn dyfalu droeon yng nghwrs y blynyddoedd tybed beth ddaethai ohonynt. Beth fu eu hanes? Tybed a ydynt eto'n fyw? Buasai'r ddau ychydig dros eu deg a thrigain erbyn heddiw, siŵr o fod. O feddwl, doedd dim llawer o wahaniaeth rhyngom o ran oedran. Prin fod y naill na'r llall wedi ei ddyrchafu'n Arglwydd Faer dinas Lerpwl nac i unrhyw safle gymdeithasol debyg! Mwy tebygol yw bod y ddau wedi treulio cyfnodau pur helaeth yn westai anrhydeddus yn un o Balasau'r Frenhines, y sefydliad enwog hwnnw yn ardal Walton ychydig i lawr y ffordd o'u hen ysgol.

Fel mae'n digwydd, fe smociwyd y pump Wdbein o fewn ychydig oriau iddynt gael eu cyflwyno imi. Ond er bod mwy na hanner oes wedi mynd heibio mae'r aur ar y clip tei yn dal i fod â sglein arno, a heb fod na gwyfyn na rhwd yn ei lygru chwaith. Ac rwy'n dal i'w restru ymhlith y pennaf o'm trysorau.

Ac nid mewn darn o'r rhecsyn hwnnw, y *Daily Mirror*, y cedwir ef bellach chwaith, eithr yn gorwedd yn daclus ar wely o wadin mewn bocs pwrpasol. O bryd i'w gilydd fe'i tynnir allan i'w edmygu. Ond dacia, mae'n drueni fod gwisgo tei wedi hen fynd allan o'r ffasiwn erbyn heddiw fel nad yw'n cael ei ddefnyddio i'r union ddiben y lluniwyd o ar ei gyfer.

Yn sicr, mae enwau Albi a Sami – John Albert Brown ac Edward Samuel O'Reily, a rhoddi iddynt y dyledus barch fel y'u cofnodwyd ar gofrestr 4D Ysgol Uwchradd Arnot yn ardal Walton am y flwyddyn honno o ras – yn dal i berarogli'n fyw yng ngolwg un beth bynnag o blith eu hen athrawon. Cofiaf yn arbennig amdanynt oddeutu'r Nadolig fel hyn bob blwyddyn a hynny ar gyfri eu hysbryd maddeugar a chymodlon tuag at un a fu'n ddigon chwyrn a chas tuag atynt ar brydiau yn ystod eu tymor olaf un o fyd addysg.

Yr unig beth a godai gwestiwn o hyd yng nghefn y meddwl oedd tybed pa ddulliau'n union a gymerwyd gan y ddau i gael gafael ar y dywededig roddion i gychwyn? Ond cystal gadael i anwybod ynghylch hynny deyrnasu bellach. Lleia'n byd, gorau'n y byd fyddai constro rhagor ynghylch pethau o'r fath, debyg. Er 'mod i'n dal ar brydiau yn lled ofni y bydd rhywun ryw ddydd yn curo ar fy nrws i'm galw i gyfri am dderbyn eiddo lladrad. Ac yn dal hefyd i atseinio ar barwydydd y cof y mae'r geiriau '*Just to show there are no hard feelings ... Happy Christmas, Sir.*'

Castio cibddall

Un o'r problemau gyda'r mwyaf dyrys, fe dybiwn, sy'n wynebu'r sawl a fo'n gyfrifol am gyfarwyddo drama'r geni oddeutu'r Nadolig bob blwyddyn yw sut i gastio'n ddoeth o blith y nifer cyfyngedig o actorion a fo ar gael iddo. Pwy yn Fair? Pwy Joseff? Pwy Herod? Pwy'r tri gŵr doeth?

Gall fod yn gyfrifoldeb digon arswydus, un sy'n bownd o bwyso'n drwm ar ysgwyddau unrhyw feidrolyn ac a ddaw yn ei sgil â nifer o nosweithiau hirion di-gwsg iddo. Gall hefyd, yn absenoldeb gweledigaeth glir a chadarn ar ei ran, ei arwain i ddyfroedd dyfnion iawn yn y pen draw. Gall methu adnabod potensial egin berfformiwr addawol (neu weld gormod o botensial mewn un arall nad oes iddo botensial o fath yn y byd) ddifetha'n llwyr berfformiad y bu hir edrych ymlaen at ei gyflwyno, ac y llafuriwyd mor galed am wythnosau i'w wireddu. Gall beri diflastod i gynulleidfa eiddgar, siom a dadrithiad i neiniau a theidiau dotus – a gwaeth na'r cyfan gall ennyn gwg tragwyddol yn ei erbyn o gyfeiriad rhieni balch y bu iddynt, hwyrach, osod gormod o ddisgwyliadau ar dalentau honedig eu hepil bach.

Yn annisgwyl braidd, fel un o'r angylion y penderfynwyd castio Gwenno Celyn y flwyddyn honno. Roedd hynny'n syndod hyd yn oed i'w theulu agosaf. Yn wir, gellir dadlau na fu erioed yn holl hanes hyglod y theatr drwy'r oesau enghraifft o gastio salach a mwy cibddall.

Pwtan fechan, solat, gringoch – dyna Gwenno Celyn. Er, o ran tegwch â hi, dylid nodi nad oedd hi ar y pryd ond cwta dair oed. Prin ei bod allan o'i harfer o wisgo cewyn a doedd hi ddim yn gwbl rydd o beidio â chael ambell ddamwain fach weithiau, yn arbennig felly pan ddigwyddai fod wedi cynhyrfu am ryw reswm neu'i gilydd. Ond gallai barablu'n un llifeiriant cystal â'r nesa – pymtheg i'r dwsin ran amla – ac yr oedd hi'n anodd sobor rhoi taw arni ar brydiau. Roedd tuedd ynddi, fel rhai eraill o'i hoed, i gam-ynganu, i fyngial ac i faglu ar draws ei brawddegau fel na allai'r un dewin ar dro ddirnad beth oedd ganddi dan sylw! Yn fyr, todlan fach hoffus ar ei phrifiant.

Roedd hi hefyd yn berchen ar y ddawn o gael ambell dantrym o bryd i'w gilydd, yn arbennig felly ar yr adegau hynny pan ddigwyddai ei hewyllys hi fod mewn gwrthdrawiad ag ewyllys ei rhieni. Hyd yn oed mewn ambell fan cyhoeddus weithiau, âi i orwedd ar ei hyd ar lawr i gicio a phrotestio gan achosi dirfawr embaras i'w chwaer hŷn, a oedd o natur gyfan gwbl wahanol. Yr unig feddyginiaeth ar achlysuron o'r fath, pan na fyddai dim arall yn tycio, oedd ei hanwybyddu'n llwyr gan ei gadael hi yno i stormio ac i strancio nes y dôi hi'n ôl at ei choed. Ymhen hir a hwyr ac yn wên o glust i glust byddai'n codi, ac fel petai dim oll wedi digwydd, yn dod at ei mam i lapio o'i chwmpas gyda'r geiriau 'caru ti, Mami'. A dyna'r llechen wedyn wedi ei golchi'n lân ... tan y tro nesa!

Ond am ddrama'r geni yr oeddwn yn sôn, oblegid ar yr angel fach hoffus pen-ffordd honno (os ar adegau ddiafol pen pentan) y syrthiodd y coelbren o fod yn brif arweinydd angylion Bethlehem ar gyfer y cynhyrchiad arfaethedig. Sôn am gam gwag ar ran unrhyw gyfarwyddwr!

Asgwrn y gynnen oedd oen – mymryn o oen clwt yn eiddo iddi hi, ond a roesai ei fenthyg yn haelfrydig i Jason, un o'i chyd-actorion teirblwydd, a oedd i'w gario yn ei freichiau yn ei rôl fel un o'r bugeiliaid. Roedd y dywededig Jason i gydio'n dynn ynddo yn ystod yr olygfa pan fyddai'r angylion yn un llu nefol yn ymddangos iddynt a hwythau'n gwylio'u praidd liw nos.

Yn wir, ar y dechrau fe ddaethant oll i'r llwyfan yn orymdaith drefnus a thra defosiynol, gan fynd i sefyll neu eistedd yn yr union fan y cyfeiriwyd hwy, dim ond bod Mair a Joseff ynghyd â'r baban, wrth reswm, i etifeddu'r safle amlyca un ar y blaen i fod yng ngolwg pawb. Genethod oedd yr angylion bob un, bump ohonynt, yn adeiniog ac mewn gwisgoedd gwynion, dim ond fod Gwenno Celyn, Angel Rhif Un, wedi mynd dros ben pawb ac wedi mynnu, ac ni fu na thwsu na thagu arni, ei bod yn cael gwisgo pâr o welintons piws a smotiau melyn arnynt am ei thraed. Yn dipyn o ben punt a chynffon dimai rhywsut!

Ond ni ddechreuodd yr helyntion nes y daeth hi'n adeg i'r holl lu nefol gyda'i gilydd (ond heb ynganiad rhy eglur) fymblian 'Gogoniant i Dduw yn y goruchaf ac ar y ddaear tangnefedd i ddynion ewyllys da'. Wrth geisio ffugio'i fraw o glywed neges y côr angylion llithrodd yr oen clwt ar ddamwain o freichiau Jason, a chwympodd ar lawr. Yn rhinwedd ei swydd fel Angel Rhif Un bu i Gwenno Celyn, yn ei mawr ddoethineb, ruthro i'w godi a gwrthod yn bendant ei ddychwelyd i ofal ei chyd-actor. Nid yn annisgwyl, ffromodd yntau yn bur aruthr wrthi.

Hanner Sais bach oedd Jason a dechreuodd weiddi 'Mine ... Mine ... Mine!' yn ei hwyneb. Doedd hynny ddim ond dechrau gofidiau. Gwylltiodd hithau gan godi i ben y caets yn syth a dadlau'n ffyrnig: 'Na ... Na, fi pia ... Fi pia ... fi,' wrth droi i gyfeiriad un o'r athrawesau a ddigwyddai sefyll o'r golwg ar ochr y llwyfan. 'Miss Davies, ma' Jason wedi dwyn fy oen bach i. Fi pia fo 'te?'

Ond cyn y gallai Miss Davies druan, mwy nag unrhyw un arall, wneud un dim i arbed y sefyllfa rhag dirywio roedd y ddau yn ymrafael yn wyllt â'i gilydd am yr oen clwt, y naill yn cythru ynddo gerfydd ei wddf a'r llall gerfydd ei gynffon, yn tynnu, yn ei sgraglardio, bron yn ei rwygo yn bedwar aelod a phen. O fewn dim roedd hi'n fini-pandemoniwm. Edrychai Herod yn ddryslyd heb wybod beth i'w wneud na lle i droi. Cerddai Joseff yn wyllt a diamcan o gwmpas. Torrodd Mair i feichio crio ac fe gerddodd ar ei hyll oddi ar y llwyfan gan adael ei baban ar drugaredd llwyr y rabl mileinig. Yn naturiol, tueddu wnâi gweddill y bugeiliaid i gefnogi un o'u mysg y tybient iddo gael cam enfawr tra bloeddiai – yn wir, y sgrechiai – rhai o aelodau gosgordd y llu nefol eu cefnogaeth frwd a llwyr i hawliau Angel Rhif Un.

Y syndod oedd bod y gynulleidfa fel petai'n cael cryn ddifyrrwch o'r holl sefyllfa. Er hynny, sylweddolai'r trefnwyr yn y cefn ei bod yn awr o argyfwng a bod rheidrwydd arnynt i ymyrryd yn y creisis i'w arbed rhag datblygu seithgwaith gwaeth, a rhag i bethau droi yn gastell magla llwyr yno. Penderfynwyd yn y fan a'r lle cau'r llenni i ddod â'r cyfan oll i ben. Dod ag ef i'w derfyn cyn ei ddechrau, bron! Ond ni rwystrwyd y Cyfarwyddwr, er hynny, rhag rhuthro'n fwg ac yn dân (os yn gwbl rhwystredig) i'r llwyfan i geisio rhoi eli ar y briw, dim ond mai halen a rwbiodd iddo, rwy'n ofni, drwy ofyn i'r gynulleidfa cyn ymadael gydganu'r garol gyfarwydd 'Dawel nos, Sanctaidd yw'r nos ...'

Dawel nos myn cebyst i!

Ni fu'r un ymdrech i roi ail gynnig arni – erbyn hynny roedd mwyafrif yr actorion, yn llinach aelodau'r un proffesiwn ar hyd y cenedlaethau ym myd y theatr, wedi cynhyrfu gormod. Roedd rhai ohonynt yn ymylu ar fod yn llawn histerics. Dyna hanes pobl *Show Biz* erioed, decini!

Gwaetha'r modd hefyd, ni ellid, y tro hwnnw, ymesgusodi am ganslo'r perfformiad trwy gyhoeddi fod nam technegol o unrhyw fath wedi digwydd. Roedd yn rhaid chwilio am fwch dihangol o gyfeiriad arall. Ac ar yr un pryd roedd angen holi a oedd gwers i'w dysgu o'r holl lanast, o'r holl ffiasco. A ellid egluro pam yn union yr aethai pethau yn gymaint o ffradach ac yn draed moch mor llwyr yno?

Tueddwyd i feio'r Cyfarwyddwr, ei ddiffyg gweledigaeth a'i gastio gwael. Beth yn y byd ddaethai drosto i ddyfarnu mai angel, o bopeth dan haul, oedd Gwenno Celyn i fod ac mai bugail fyddai Jason? Gwaeth fyth pam, o pam, yr oedd wedi mynnu eu bod yn defnyddio'r bali oen clwt hwnnw, yn arbennig o gofio mai Angel Rhif Un oedd ei wir berchennog?

Swm y cyfan a ddywedwyd yw na welwyd y Cyfarwyddwr hwnnw yn ei swydd ymhen y flwyddyn. Fe'i hisraddiwyd i fod yn ddim namyn cynorthwy-ydd i'r rheolwr llwyfan. Ond o gael cyfarwyddwr newydd i'w olynu aeth pethau rhagddynt fel lli'r afon. A chaed sioe i'w chofio: roedd Jason erbyn hynny wedi graddio i fod yn un o'r doethion, a Gwenno Celyn (os yn wir y medrir rhyfygu i gredu'r fath beth) yn rhoi portread ardderchog, Osgar-deilwng, o'r Fair Forwyn. A chaed 'run tantrym ganddi chwaith, na'r un achos i'w chwaer hŷn fod yn embaras o'i phlegid!

Rhoddion Modryb Lisi

Ymhlith llu o bethau eraill, afraid dweud mai amser y rhoi, ac amser y derbyn hefyd, yw'r Nadolig. Awydd i roi, yn ôl ei harfer, ddaeth dros yr hen Fodryb Lisi druan, 35 Maes Derwydd yng ngogledd Môn, tua'r adeg hon y llynedd. Cystal egluro hwyrach fod Modryb Lisi bellach ar ddannedd ei deg a phedwar ugain ac wedi mynd yn ddigon musgrell. Nid yn annisgwyl, o'r herwydd, doedd mynd allan i chwilio am anrhegion Dolig i'w chydnabod ddim yn orchwyl rhy hawdd iddi hi mewn pentref a bro anghysbell. Onid oedd Caergybi a maelfa'r Pound Stretcher yn y fan honno ddeuddeng milltir i ffwrdd? Llangefni a'i Hasda a'i Hôm Bargens fawr nes. A doedd 'run howld ar y gwasanaeth bysus chwaith. Gwaeth fyth, doedd ganddi, p'run bynnag, fawr o geiniogau i'w crafu yn erbyn ei gilydd, dim ond pensiwn crintach y wladwriaeth.

Oddeutu tair blynedd ynghynt yr oedd gwraig y tŷ acw ar derfyn un o'n gwyliau ni yn Ffrainc wedi prynu sgarff i Modryb Lisi'n anrheg. Yr oedd hithau wedi derbyn yr union rodd honno â breichiau agóred, yn ddiolchgar lawen.

'Trugaradd annw'l. Y feri peth a'r union liw i fynd efo 'nghostiwm nefi blŵ ora fi ...' meddai. 'Mi neith siort ora ac mi gwisga i hi i fynd i'r Moddion Diolchgarwch, ylwch. Wel! Thanc iw feri, feri much.'

Ond aethai tair blynedd heibio a'r sgarff heb ei chyffwrdd, yn gorwedd yn segur mewn papur sidan ar waelod y cwpwrdd dillad yn rhif 35, Maes Derwydd – a hithau, erbyn hynny, wedi llwyr anghofio pwy a'i rhoddodd iddi yn y lle cyntaf.

Eithr yn dilyn ein cinio Dolig ni acw y llynedd, aethom ati yn ôl ein harfer – yn ôl arfer llaweroedd o deuluoedd eraill, mae'n ddiamau – i agor yr anrhegion a dderbyniasom gan hwn a'r llall. Persawr, sebon molchi, bath solts, siocledi a thlysau bling o bob math i wraig y tŷ; hancesi poced, socs, tei, persawr eillio Calvin Klein, potel o Prosecco ac ambell lyfr i minnau.

Ac oedd, roedd Modryb Lisi annwyl wedi cofio amdanom y tro hwnnw hefyd. Ym mhlygion y papur lapio a oedd wedi ei ailgylchu ganddi ers y Dolig cynt a'i gydio'n llac wrth ei gilydd â selotêp rhad oedd wedi sychu, roedd yna ddyddiadur i mi.

'Mi fydd Wil bob amsar yn falch o gael Diaria i sgwennu ynddo.' Dyna ddywedai hi rownd y rîl.

Ond beth am wraig y tŷ?

'Drycha mewn difri calon beth ges i!' meddai. 'Dyma'r union sgarff ddaethon ni iddi o Ffrainc oes pys yn ôl. Dwyt ti ddim yn cofio fel roedd hi'n glafoerio yn ei chylch, ac yn bwriadu ei gwisgo efo'i chostiwm orau i fynd i'r cyrddau Diolchgarwch? Bechod yntê? Yr hen dlawd. Wedi ffwndro'n lân, ma' raid.'

Oedd, roedd yr union sgarff erbyn hynny yn ôl lle cychwynnodd hi yn y lle cyntaf. Er nad y rhodd, fel y cyfryw, oedd wedi'n cyffwrdd ni chwaith, ond y meddylgarwch a'r ysbryd hael oedd y tu ôl i'r rhoi hwnnw. A oes yma, tybed, adlais o hanes y wraig weddw honno y dywedwyd amdani unwaith ei bod hi wedi rhoi mwy na llawer, oherwydd cyfrannodd rhai o'r mwy na digon oedd ganddynt, ond rhoddodd hi o'i phrinder bron y cyfan a feddai. Stori fach neis arall eto i chwarae ar deimladau pobl, yn union fel yn achos y ddoli ddu honno. Dyna'n sicr fyddai haeriad pob sinig, er y taerwn i fod peth o wir ystyr neges y Nadolig yma eto yn rhywle. Roedd yr ysbryd o *roi* wedi bod yn llawer cryfach yn ei golwg hi na'r awydd i *dderbyn*. Rhoi heb ddisgwyl undim yn ôl, chwaith.

O ia, rhag imi anghofio! Mae Modryb Lisi, 35 Maes Derwydd, wedi llwyddo i oroesi blwyddyn arall eto. Tybed beth, os rhywbeth, a ddaw o'i llaw hi y Nadolig hwn? Wedi'r cwbl, mae'r daith ar y bws i'r Pound Stretcher yng Nghaergybi neu'r Hôm Bargens yn Llangefni yn mynd yn anos. Er bod un peth yn gwbl sicr – y bydd hi bownd ulw o dyrchio rhywbeth allan i ni'n dau fel ein gilydd.

'Does dim cymaint o broblem efo'r hogyn Wil 'na ...' ddeudith hi'n reit siŵr, 'Mi neith Diaria yn iawn iddo fo ... *hi* ydi'r broblem fawr, *hi* sy'n achosi cur pen, wastad.'

Ond, o ffowla am rywbeth ar waelod y jestar drôr, does dim dwywaith na ddoir o hyd i rwbath iddi hithau hefyd. Bydd y cyfan wedi ei lapio yn y papur a fydd wedi ei ailgylchu ers y llynedd a'i gydio ynghyd yn eitha llac efo'r selotêp rhad hwnnw a fydd wedi hen sychu.

A dyna i chi roddion Modryb Lisi!

2017
Day to View

Twtsh o amnesia a joban lowsi

Ar un wedd does a wnelo'r hanesyn canlynol ddim oll â'r Dolig, mwy nag unrhyw adeg arall o'r flwyddyn chwaith, boed Basg, boed Sulgwyn, boed Foddion yr Ŷd. Dim ond mai oddeutu'r Dolig flwyddyn neu ddwy yn ôl y clywais i'r stori gyntaf.

Hen gyfaill coleg sydd wedi ymfudo i Ganada ers hanner can mlynedd a'i hanfonodd imi. O ganol eira tymhorol Ontario tua canol Rhagfyr bob blwyddyn bydd yn anfon ei gyfarchion Nadoligaidd arferol ynghyd â phwt o lythyr yn cofnodi ei hynt a'i helynt yn ystod y deuddeng mis a aethai heibio, yn union fel sy'n arferol ymhlith llawer ohonom rhag colli cysylltiad, fel petai, â hen gydnabod. Roedd y stori, yn ôl y dystiolaeth, wedi ymddangos yn wreiddiol yn un o bapurau dyddiol talaith Ontario.

Adran brysur ar gyfer archebu tocynnau mewn maes awyr yn Efrog Newydd oedd ei lleoliad, a chynffon hir o bobl wedi ymffurfio yn giw ac yn aros eu tro yn amyneddgar i archebu sedd ar yr awyren nesa i L.A. neu rywle cyffelyb. Yn amyneddgar nes i ryw greadur hynod ddigywilydd ac o natur fombastig ruthro ar draws pawb arall gan ei sodro ei hun o flaen y ddesg a hawlio tocyn dosbarth cyntaf ar gyfer yr union ffleit honno.

'Rwy'n ofni bod raid i chi aros eich twrn syr,' meddai'r ferch yn foesgar wrtho, ond gan ychwanegu y byddai hi, unwaith y byddai wedi rhoi ei sylw i geisiadau'r lleill a oedd wedi bod yn aros mor amyneddgar cyhyd, yn dod yn ôl ato yntau.

Fe ffromodd y gŵr yn bur aruthr o'i glywed ei hun yn cael ei roi yn ei le braidd gan ryw gatan o eneth nad oedd fawr allan o'i chlytiau, un yr oedd yn ddigon hen i fod yn daid iddi. Sythodd i'w lawn dŵf. Pa hawl oedd gan hon i danseilio ei urddas a'i bwysigrwydd o? Meddai'n awdurdodol ar uchaf ei lais, 'Ydach chi'n gwybod pwy ydw i?'

Heb godi'r tameidyn lleiaf o'r un desibel ar ei llais atebodd y ferch, 'Nac ydw, syr! Mae'n ddrwg iawn, iawn, gen i. Ond na phoenwch – hwyrach y galla i eich helpu chi ...' Cydiodd yn yr offer uchelseinydd oedd ganddi wrth law gan lefaru drwyddo fel y gallai pob copa walltog, hyd yn oed o blith y rhai yng nghwr pella'r adeilad, ei chlywed, 'Tybed all rywun ohonoch chi helpu'r gŵr bonheddig sy'n sefyll yn y fan yma? Mae'n edrych i mi fel ei fod yn dioddef o hen anhwylder digon annifyr, wedi cael twtsh o *amnesia* ... wedi colli ei gof ... ac newydd ofyn i mi a ydw i'n gwybod pwy ydi o. Os gall rhywun ei helpu, neu yn gwybod pwy ydi o, tybed fyddech chi garediced â dod yma ato fo?'

Sôn am roi pin yn swigan y creadur. A gwers i bob copa walltog o'n plith ninnau hefyd rhag digwydd i'r un ohonom, ryw dro, feddwl am ein cymryd ein hunain ormod o ddifri, o fynd yn rhy fawr i'n hesgidiau fel y dywedir. Aeth y gŵr ymaith yn athrist, a hynny, mae'n eithaf tebyg, heb ei docyn dosbarth cyntaf ar y daith arfaethedig i L.A.

O fewn rhyw ddeuddydd, drwy gyd-ddigwyddiad nodedig, roedden ni wedi croesi'r bont i ynys Môn ac ar ein hald i ymweld â rhai o aelodau'r teulu yno, i ddosbarthu anrhegion ac ati. Eto, yn union fel y bydd rhywun tua'r adeg hon o'r flwyddyn. Ar gyrion Caergybi gorfu inni arafu'r cerbyd ac aros am ychydig eiliadau cyn mynd heibio i lorri a oedd wedi sefyll gyferbyn â rhyw siop gerllaw. Prysurodd y gyrrwr i neidio o'i gaban gan fynd ati'n bwrpasol i agor cefn y lorri gyda'r bwriad, mae'n ddiamau, o ddadlwytho rhai nwyddau yr oedd wedi eu cludo i gyflenwi y faelfa arbennig honno. Ond wrth iddo ymlafnio â'r gorchwyl dyna

sylwi ar yr hyn oedd wedi ei blastro ar ochr y lorri. I ba bwrpas penodol, doedd gennym yr un syniad. Amwys a chryptig dros ben oedd y neges, ond rhoes funud i feddwl, yn bur sicr, inni: 'If you cannot be yourself, you'll make a lousy job trying to be someone else.'

Hoffais y gair *lousy* 'na'n fawr! Ac yr oedd llawer o wir yn y peth. Oni allwn ni fod wastad yn ni ein hunain, joban go giami wnaen ni o geisio ymagweddu fel rhywun arall.

Ac oni ddywedodd y Bardd o lannau Avon yntau yn union yr un peth (er, hwyrach, gyda thipyn mwy o sglein) o leia bedwar cant o flynyddoedd ynghynt? Rhoddodd yr hen Bolonius gyngor doeth i'w fab Laertes yn *Hamlet*.

> Yn bennaf oll bydd driw i ti dy hun
> A dilyn wna fel dydd yn dilyn nos
> Na elli fod yn ffals i undyn byw.

Rhwng y ddau – William Shakespeare ar y naill law a sgriptiwr dienw y lorri ar gyrion Caergybi ar y llall – mae posib bod gwirionedd go sylfaenol wedi ei draethu. Geiriau yn sicr y dylai'r gŵr ym maes awyr Efrog Newydd fod wedi rhoi dwys ystyriaeth iddynt. A ninnau hefyd i'w ganlyn, boed hi'n Ddolig neu'n unrhyw adeg arall o'r flwyddyn. Wedi'r cyfan, onid cymryd arno agwedd gwas pan dyfodd yn ddyn wnaeth y baban hwnnw a aned ym Methlem Jwda ddwy fil o flynyddoedd yn ôl?

Dal ati

Doedd pethau ddim yn argoeli'n rhy obeithiol ar drothwy Nadolig 2016. Roedd y lluniau a ddôi o'r bocs yn y gornel yn peri braw. Y rhyfel cartref yn Yemen yn dal yn ei hanterth a'r diniwed, fel arfer, yn dioddef. Gwaeth fyth y sefyllfa yn Aleppo wrth i filwyr Assad sicrhau yr hyn y galwai pobl y Cyfryngau yn *total meltdown* yno, gan droi ail ddinas Syria yn llawr maes – 'Dinistr ar ddinistr ddaeth, du afradwaith ddifrodaeth' – tra bod ISIS mewn sawl gwlad a thref yn dal i gynllunio i roi eu bwriadau dieflig ar waith. Ymnerthai gwleidyddion Ffasgaidd adain dde ledled y byd. Roedd teyrnasiad Donald Trump yn Arlywydd ar fin dechrau ac nid oedd pawb ohonom yn edrych ymlaen yn hyderus at hynny. A dyna'r hollbresennol Brexit a'r ansicrwydd mawr oedd yn bownd o ddod yn sgil hwnnw. A'r seren druan fel petai dan gwmwl.

Ond nid yn gyfan gwbl chwaith, oblegid llwyddai ambell lewyrch i dreiddio drwy'r caddug, yn benodol felly yn llawer nes adre, ym mywydau pobl gyffredin go anghyffredin a oedd yn ymlafnio i ddal i ddal ati ar waetha llu o anawsterau. *Paddling on*, felly, yng nghanol pob mathau o orthrymderau. Cymerwch y cerdyn hwnnw a ddaeth oddi wrth Gwynfor, un o'm hen gyfeillion bore oes, cyn-dditectif gyda'r heddlu, awdur ambell gyfrol ac arlunydd hynod fedrus yr un pryd. Collodd ei wraig yn lled ddiweddar gan ei adael yn llwyr gyfrifol am fab cwbl anabl, a hynny heb rithyn o surni nac o hunandosturi o fath yn y byd. Llun ohono ef a James oedd ar y cerdyn, ac wedi iddo gofnodi ei gyfarchion tymhorol bu iddo sgriblio'r canlynol: 'Fy annwyl James yn ddeugain oed a llawenydd mawr yn fy nghalon.' Alla i a'm siort ddim ond edmygu'n wylaidd rai fel Gwynfor sy'n mynnu dal ati, yn wir i lawenhau, yn wyneb llu o orthrymderau.

A dyna'r cyfarfod Nadoligaidd ar raglen ein Cymdeithas Lenyddol wedyn, pan gaed blas ar yr Ŵyl wrth i ddyrnaid o'r aelodau ddod ymlaen i gyflwyno ambell bwt o gân ac o ddarlleniad. Solo eitha teimladwy oedd cyfraniad Hannah a chytgan y darn a ddewisodd hi ei ganu yn gwbl addas ar gyfer yr achlysur:

Gŵyl Nadolig, cofio'r unig,
Cofio'r tlawd a'r truan trist,
Cofio'r plant na chawsant aelwyd,
Cofio'r rhain yw cofio Crist …

Waeth cyfadde ddim nad oeddwn yn adnabod Hannah yn dda. Ni chofiwn imi dorri'r un gair efo hi cyn y noson honno, ond mentrais ar derfyn y cyfarfod ei llongyfarch ar ei pherfformiad a chawsom sgwrs fer. Fe'm sobrwyd o ddeall ei bod yn wyth deg saith oed, hithau wedi cael ei siâr o dreialon bywyd, yn weddw ac wedi colli merch ddim ond ychydig fisoedd ynghynt, a hithau'r ferch ddim ond ym mlodau ei dyddiau.

'Ond dyna fo, be newch chi yntê? Mae'n rhaid i chi ddal ati, 'n bydd, neu mae hi ar ben ar rywun, dydi?' Dyna athroniaeth Hannah, cyn iddi ychwanegu'n stoigaidd wedyn, 'Onid cyfri 'mendithion ddyliwn i, 'mod i wedi cael byw cyhyd? Ac mae hi'n llawer gwaeth ar rai, credwch chi fi … Nefar *say die* … dyna fy egwyddor i, ac y mae hi wedi 'nghynnal i tan rŵan beth bynnag, a siawns na wnaiff hi am ryw chydig eto.'

Tipyn o hen stîl. A mawr edmygedd dyn o rai o galibr Hannah hithau.

A heb anghofio Mari. Mae pawb drwy'r Port yn adnabod Mari ac yn cofio'n ddiolchgar am ei chyfraniad gloyw hi i'w chymuned, yn arbennig felly ei chyfraniad i fywyd diwylliannol y dref dros hir flynyddoedd. Ar noswyl Nadolig 2015 fe'i cipiwyd hi i Ysbyty Glan Clwyd a dyna lle, gryn drigain milltir o gartre a chwmni cydnabod, y bu'n dihoeni ac yn derbyn triniaethau am chwe wythnos a rhagor. A hyd yn oed wedi iddi ddychwelyd, digon araf fu pethau cyn iddi ddechrau troi ar wella. Nid yw bellach mor sicr o'i cherddediad ag y bu ac y mae'n gorfod dibynnu llawer ar gyfeillion i'w chludo o fan i fan.

'Ond rydw i'n diolch 'mod i cystal.' Dyna glywir ganddi hithau wastad. 'Mae pawb mor ffeind efo mi, er na fynnwn i fod yn niwsans ar yr un ohonyn nhw chwaith.'

Digwyddodd fy ngwraig alw heibio efo rhyw offrwm bychan iddi rai dyddiau cyn y Dolig y llynedd, eithr yr un oedd ei chân: 'Rydw i'n gwbl fodlon fel hyn, wsti, yn fy nhŷ bach fy hun lle rydw i'n cael llonydd i wneud be fyw fynna i … ond wyddost ti lle bûm i ddoe? Fe biciodd fy Hôm Help i, chwarae teg iddi, efo fi i Gartre Madog i mi gael edrych am rai o'r hen bobl yn y fan honno. Ac mi gefis i sgwrs ddifyr efo nhw hefyd bob un, efo Elsie Tŷ Capel, Mair Maes Gerddi, Olwen Borth-y-gest a John Tŷ Mawr. Hwyliau da arnyn nhw bob un, a phawb yn edrych ymlaen at y Dolig ... Mi ddaeth 'na ryw barti canu carolau yno yr un pryd ac mi gawson ni *sing song* braf efo'n gilydd.'

Ymweld â'r 'henoed', myn cebyst i! A hithau ei hun ar ddannedd ei deg a phedwar ugain – yn ei hanterth ar fin ymosod ar ei neinti!

Go dda Mari! Go dda Hannah! Go dda Gwynfor! Na, does dim dwywaith mai pobl o'r math yma bob gafael, ac y maent i'w cael ym mhob ardal, sy'n codi calon rhywun ar ddiwedd blwyddyn fel hyn.

Cadw gwylnos

Waeth ei ddweud o mwy na'i feddwl o ddim. Tipyn o hen rwystr fu pob Dolig i ni ar ddiwedd y pedwardegau, maen melin, onid yn wir fymryn o gystudd yr oedd yn rhaid ei oddef a'i ddathlu yn ôl y drefn; canys mawr y rhyddhad pan fyddai drosodd, ninnau'n gallu bwrw esgyrn yr ŵydd i Fflos a'i gael o'r ffordd am flwyddyn arall. Onid oedd pethau tra amgenach ar y gweill gennym wrth inni frwd ddyheu am gael ymarfogi â'n paratoadau gogyfer â chynnal y watshneit i groesawu'r flwyddyn newydd. ('Watshneit', sylwer. Doedd cadw 'gwylnos' ddim yn rhan o'n geirfa ni – nid yr adeg honno, beth bynnag.)

Dan adain y Clwb Ieuenctid yn Ysgoldy Bethlehem y'i cynhelid, er bod ambell flaenor herciog yn ddigon amharod i roi bendith ar y bwriad, llai fyth ei ganiatâd, pan gyflwynid cais i gynnal gweithgaredd mor ddisylwedd mewn mangre mor honedig gysegredig. Ofni yr oeddent y byddai cynnal rhialtwch o'r fath yn y cyfryw le yn dwyn mawr ddirywiad a llygredigaeth i agwedd foesol y to oedd yn codi, a thrwy hynny beryglu iachawdwriaeth dragwyddol eu heneidiau. Yr elfen ryddfrydol a gariodd y dydd yn y diwedd, eithr dim ond ar yr amod y byddid yn arolygu'r cyfan â llygad barcud – a phe byddai'r elfen leiaf o'r hyn a elwid yn 'anweddustra' yn bwrw'i ben i'r golwg, yna byddai raid atal popeth ar amrantiad yn y fan a'r lle.

Mair Tŷ Lawr oedd y prif ysgogydd pob gafael, tra bod y gweddill ohonom yn gŵn bach eitha ufudd iddi. Rhoddai hi'r flaenoriaeth yn ddieithriad ar gael Llywydd ar gyfer y noson. Amaethwr cefnog fyddai hwnnw fel arfer, rhywun tebyg i'r Mejor Lloyd Jones, Llanol, dyweder, neu gynghorydd sirol, hyd yn oed ambell Sais a ddaethai i wladychu yn ein plith, un ar gyfrif ei glochdar uwch na'r cyffredin a gawsai ei lyncu dros dro cyn i'r ardal weld drwyddo. Doedd o fawr o ots a ddôi'r Llywydd etholedig yno i'n anrhydeddu â'i bresenoldeb ar y noson ai peidio. Gorau oll yn wir pe na ddôi o gwbl. Doedd gennym fawr o archwaeth am areithiau llywyddol hirwyntog. Dim ond iddo fynd yn ddwfn i'w boced. Pe gwnâi hynny byddai cyfeiriad at 'ei rodd anrhydeddus' yn *Y Clorianydd* yr wythnos ddilynol. Sicrhau wedyn fod tocynnau pwrpasol yn cael eu hargraffu'n swyddogol gan Gwmni Caxton yn Amlwch fel bod cenhadon eiddgar yn gallu mynd i bob cornel o'r fro wedyn i'w gwerthu. Rhywbeth tebyg i hyn:

****

A
Grand Watchnight
To be held
in
Bethlehem (M.C.) Schoolroom
Carreg-lefn

Dec 31 8-12 pm

***President* E.H. PARRY ESQ., J.P. C.C.**

Entrance to include refreshments 2/-
Proceeds in aid of village YOUTH CLUB
****

Cystal ychwanegu nad oedden ni ddim, yr adeg honno, wedi rhoi'r un ystyriaeth i arddel y Gymraeg mewn cyhoeddiadau o'r fath. Doedd yr iaith ddim mewn unrhyw berygl, neno'r trugaredd. Fuo hi erioed cyn iached ag yr oedd hi yn ein hardal ni y dwthwn hwnnw. O leia dyna fel y gwelem ni bethau ar y pryd.

Cael y *refreshments* o'r ffordd mor fuan ag y bo modd, dyna'r flaenoriaeth ar y noson fawr. Nid bod y byrddau wedi eu harlwyo â phasgedigion rhy freision chwaith. Blynyddoedd wedi'r rhyfel oeddynt a chyfnod y dogni heb lwyr ddarfod amdano; brechdanau caws a spam gydag ambell botyn o fitrwd coch a nionyn picl wedi eu gosod yma ac acw ar y byrddau, hwyrach, i roi min ar y blas, ynghyd â digon o fara brith a thafelli o dorth hadau carwa i ddilyn; ac os oeddem yn lwcus, cacen gri neu ddwy a *maids of honour*.

Mair a finnau bob yn ail rannai ddyletswyddau Meistr y Seremonïau. Roedd Mair wedi cyrchu i Fangor wythnosau lawer ynghynt ac wedi pwrcasu ffrog biws daffeta laes grand gynddeiriog gyda gwddf isel, gwerth êitîn a lefn o siop Polecoff neu rywle, ac fe fyddai yn ei swagro hi yn null Anna Neagle neu Jean Simmons y bu'n astudio pob ystum o'u heiddo o weld eu mynych berfformio ar sgrin y Royal yn Amlwch ar ambell nos Sadwrn. Minnau wedyn yn torri cŷt yn fy siwt ora' ac yn fy ffansïo fy hun fel Michael Dennison neu Richard Todd!

Unwaith yr oedd y byrddau wedi eu clirio ac i'r chwiorydd hŷn estyn cymorth i

gwblhau'r gorchwyl o olchi'r llestri yn y gegin gefn, fe fyddem yn barod i roi cychwyn ar bethau. Roedd yn rhaid cofio, wrth reswm, fod ystod eang mewn oedran yn cael ei gynrychioli yn ein cynulleidfa a'i bod, o'r herwydd, yn hanfodol sichau cydbwysedd yn ein rhaglen er boddio chwaeth pawb.

I gyfeiliant cymeradwyaeth frwd a stampio traed 'sgidia hoelion mawr o gyfeiriad aelodau'r to ifanc dôi Miss Loreta Huws, Tyddyn Creigiau, ymlaen i roi datganiad mawreddog, os peth yn wichlyd weithia, wrth iddi ymgyrraedd at nodau uchaf 'Pistyll y Llan'. A phe câi encôr (a doedd dim yn sicrach na châi), byddai wedi trefnu i roi cynnig ar 'Lle cerddi Di'. Nid nad oedd 'Hwiangerdd Sul y Blodau' yn rhan o'i *repertoire* yr un pryd, a phe rhôi gynnig ar honno fe lwyddai'n ddi-feth i dynnu deigryn o lygaid y cryfaf.

Giamblar ar yr organ geg a'r piano 'cordion oedd Twm, Cae'r Mynach, wedyn, un a oedd wedi perffeithio'i ddawn i daro'r 'Eneth gadd ei gwrthod' neu 'Defaid William Morgan' cyn bod erioed sôn am Hogia Llandegai na'r un grwp sgiffl yn unman! Ambell jôc – os peth wedi llwydo – a geid gan Robat Jôs, Heulfre, er mai fel adroddwr y disgleiriai ef fel arfer, a chryn edrych ymlaen at ei glywed yn mynd drwy'r 'Celwydd Golau' mewn dull gor-ddramatig.

Bariton lled-gryglyd erbyn hynny oedd yr hen lanc, Seimon Wilias, Pylla Budron. Nid na fu fymryn yn fwy soniarus yn ei ddydd, ond yr oedd y blynyddoedd erbyn hynny wedi dechrau gadael eu hôl yn bur drwm arno ef a'i lais. Roedd wedi ennill y wobr gyntaf un tro am roi datganiad o 'Hen Fugail Hafod y Cwm' mewn Peni Rîding ym Mynydd Mechell, a byth ers hynny cawsai rith-weledigaethau achlysurol o fawredd gan beri ei fod yn llwyr dybio, pan ganai ei arwyddgan, ei fod yn perthyn yn lled agos i'r Great Caruso, neb llai! O gael encôr byddai'n mynd ati'n syth i chwilio am yr 'Amen', er mai 'Pwy fydd yma 'mhen can mlynedd' yn ddieithriad fyddai ei ail ddewis; ond teimlad cyffredinol y gynulleidfa oedd ei fod fymryn yn rhy optimistig wrth ganu honno, rhywsut. Os oeddem wedi ymgynnull ar y noson i ddathlu ein goroesiad o un flwyddyn roedd yn beth hynod ddigywilydd i'r un ohonom, yn arbennig rhywun fel y fo a oedd ar ddannedd ei bedwar ugain yn barod, i slensio cant chwaith!

Ond uchafbwynt y rhan arbennig honno o'r rhaglen, unwaith y byddai'r hen frawd wedi cael ei wynt ato a llymaid o ddŵr i iro'i laryncs, oedd ei ddychweliad i'r llwyfan i ymuno â Loreta, Tyddyn Creigiau, i gyflwyno'r ddeuawd 'Hywel a Blodwen'. Ac wrth i'r Pyllau Budron a'r Tyddyn Creigiau addo bod yn ffyddlon i'w gilydd am byth byddai'r hwtian a'r curo dwylo a'r stampio traed yn cyrraedd cresiendo byddarol.

Erbyn hynny tynnai am hanner awr wedi deg, ac wrth gyflwyno cystadleuaeth y darn heb ei atalnodi byddid yn rhoi cychwyn i adran ysgafnach y rhaglen – adran y chwaraeon a phethau llawer beiddgarach. Roedd hwyl i'w gael o osod hanner dwsin o afalau i nofio mewn pwcedaid o ddŵr a chael cystadleuwyr i blygu drosodd i godi ambell un i'w cegau heb gymorth yr un llaw. A dyna'r gêm cyflwyno parsel o'r naill i'r llall, neu newid cadeiriau a newid breichiau i gyfeiliant Brenda Rhiw yn canu'r piano. Y fath sbort a fyddai pan ataliai hi ei llaw ac y peidiai'r miwsig wrth i bawb sgrialu i osgoi'r perygl o orfod talu fforffed. Ac yr oedd llawer o feddwl ymlaen llaw wedi mynd i ddyfeisio'r union fforffedion hynny pan orfodid ambell greadur swil i ganu ar ei ben ei hun, dyweder, neu i ambell hen lanc cysetlyd eistedd ar lin yr eneth ifanc bertaf yn yr ystafell, neu'n wir i hen ferch fodist orfod rhoi cusan i'r pen blaenor neu i'r codwr canu o dan yr uchelwydd – pethau beiddgar o'u bath yn ymylu ar yr erotig.

Heb sôn wedyn am yr orfodaeth a fyddai ar ryw greadur anffodus i wisgo mwgwd ar gyfer y dasg o geisio dyfalu pwy oedd yn cydio yn ei law. O fethu byddai raid iddo gofleidio'n danbaid berchennog yr union law honno cyn symud ymlaen at y nesa a'r nesa a'r nesa cyn y llwyddai i ddyfalu'n gywir – er y byddai hynny weithiau yn tueddu i ennyn gwg rhai o sensoriaid y Sêt Fawr. Onid oeddem dan rybudd parhaus i ymatal rhag meiddio mynd dros ben llestri? Beth bynnag am hynny, oni fyddai ambell hen gwpwl wedi clicio erbyn diwedd y noson nid ni'r trefnwyr fyddai ar fai!

Am chwarter i hanner nos, a'r lampau paraffîn erbyn hynny'n dechrau pylu a'r waliau'n chwys diferol, dôi'r holl rialtwch i ben. Yn bur hwyrfrydig gorfodid ninnau i gyflwyno'r awenau i ofal y gweinidog. Byddai yntau yn darllen o'r drydedd bennod o Lyfr y Pregethwr ac yn cyflwyno myfyrdod byr ar dreiglad amser cyn gwahodd pawb i ganu emyn rhif 751 yn llyfr emynau'r Methodistiaid Calfinaidd:

> Tad tragwyddoldeb, plygaf ger dy fron
> Ceisiaf dy fendith ddechrau'r flwyddyn hon;
> Trwy blygion tywyll ei dyfodol hi
> Arweinydd anffaeledig, arwain fi.

Erbyn hynny byddai'r ddau fys ar gloc yr ysgoldy ar gyffwrdd ei gilydd am hanner nos. Byddai pawb arall drwy'r deyrnas wedi hen ddechrau dathlu o'n blaenau ni, canys byddai ein cloc ni wastad o leia bum munud onid rhagor yn ara' ac ar ôl un pawb arall. Ond dyna ni o'r diwedd yn cael dymuno Blwyddyn Newydd Dda i'n gilydd cyn inni oll wedyn ymwahanu a'i gwneud hi am gartre. Ambell waith byddai darn o leuad i oleuo'r ffordd inni; dro arall ceid bod sgimpan o eira wedi disgyn tra buom yn dathlu ac wrth i'n sgidiau grensian drwyddo byddem yn gwbl fodlon am fod ein holl ddisgwyliadau ar gyfer y noson wedi mwy na'u cyflawni, yn wir wedi troi'n achos a oedd yn sicr o fod yn destun siarad rhyngom am wythnosau i ddod.

Ar orwel pell yr edrychai'r Dolig erbyn hynny, a'n hunig ofid oedd y byddai'n rhaid aros am ran helaeth o ddeuddeng mis o hyd tragwyddoldeb arall cyn y caem hyd yn oed ystyried mynd ati i baratoi ar gyfer dathliad cyffelyb.

Er bod un cysur yn weddill hefyd. Roedd 'Nhad ychydig oriau ynghynt wedi rhoi tro yng ngwddf yr hen geiliog Rhode Island Red a fuasai'n gwarchod a gwasanaethu rhyw hanner dwsin o ieir acw mor gydwybodol gydol y flwyddyn ac wedi ei bluo, Mam wedi ei drin a'i stwffio a ninnau'n ysu am ei gael efo platiad o datws rhost a thatws wedi eu stwnshio ynghyd â phys a moron a moroedd o refi tew i ginio Calan. Byddai hen gladdu wrth fwrdd y wledd honno yn union fel pe baem newydd ddod o warchae hir. A doedd dim dwywaith amdani chwaith na allai'r un dewin fod wedi meddwl am roi cychwyn amgenach i flwyddyn newydd arall.

Myfyrdod diwedd blwyddyn

Diwrnod, mis, blwyddyn – rhaniadau naturiol amser, a'r rheiny'n cael eu mesur wrth gylchdroadau – y ddaear ar ei phegynau, y lleuad mewn perthynas â'r ddaear, y ddaear o gylch yr haul – a ninnau, ar brydiau, yn cael ein sgytian a'n cordeddu'n ddigon didrugaredd yng nghwrs y cylchdroadau hynny.

Gwir y dywed hen ddihareb 'y naill flwyddyn a fydd yn fam i ddyn a'r llall a fydd ei elltrewyn'. Sgwn i ai hen lysfam greulon a digon di-feind fu'r flwyddyn ddiwethaf i rai ohonom?

Hyd yn oed mor bell yn ôl â chyfnod Cicero fe groniclwyd arferiad ymhlith y Rhufeiniaid o ysgrifennu adroddiad o helyntion y flwyddyn a'i osod ar ryw fath o lechfaen fel y gallai pawb a ddymunai ei ddarllen. Mae'n ymddangos felly fod i'r 'adroddiad blynyddol' linach bur anrhydeddus, a mwy o ddarllen arni nag odid llawer o bethau eraill (gan gynnwys adroddiad blynyddol unrhyw gapel!). A phan awn ninnau ati i droi tudalennau ein llyfrau lloffion am y llynedd 'sgwn i a fydd ein cwpanau yn llawn?

Ai blwyddyn o lawnder fu hi? Ai un o newyn? Waeth am hynny – mae hi bellach drosodd. A beth am y flwyddyn newydd sydd ar y trothwy? Sut siâp fydd ar hon, tybed, erbyn canol Mehefin? Rhown gyfle iddi, a chawn weld.

Mae rhai yn ein plith na fynnant roi unrhyw gyfle iddi o gwbl. Yn wir, rwy'n synnu cymaint o broffwydi gwae sydd o'n cwmpas – y bobl hynny sy'n mynnu edrych ar yr ochr dywyll i fywyd, sy'n waradwyddus o benisel, yn rhemp o besimistaidd.

'Does dim i'w weld ar y gorwel ond arwyddion dinistr ac anobaith ar bob llaw,' meddai William Pitt â'i ben yn ei blu yn 1783. Ymhen blwyddyn neu ddwy wedyn fe ryddhaodd William Wilberforce y datganiad nad oedd o'n bwriadu priodi â'r un ferch am fod y dyfodol yn edrych mor ansicr. 'Ni all un dim,' meddai'r Arglwydd Shaftesbury yn 1848, 'arbed yr Ymerodraeth Brydeinig rhag ei difetha'n llwyr.' Ac wrth farw fe ddiolchodd Dug Wellington i ragluniaeth am ei arbed rhag bod yn dyst i'r mawr helbulon a ragwelai ar y gorwel.

Aeth dros ddau gan mlynedd heibio

bellach ers dyddiau William Pitt, ond er gwaetha'r darogan gwae rydan ni'n dal i fod yma o hyd. Yr unig beth a ddiflannodd ydi'r hen ymerodraeth nad oedd machlud fyth i fod arni. Fe aeth honno ar ddifancoll ers llawer dydd!

A diau fod rhai ohonom ninnau ar ddiwedd un flwyddyn ac ar drothwy un arall fel hyn, o ystyried ein bod newydd gefnu ar Ewrop, ac yn arbennig felly o gofio'r erchyllterau sy'n digwydd yn Nigeria, yn Irac, yn Afghanistan ac yn Syria, yn mynnu galw i gof eiriau Dante yn ei 'Inferno': 'Chwychwi sydd yma'n mynd, gadewch bob gobaith ...'

Onid gwell fyddai cofio geiriau'r bardd o Sais, Alexander Pope, fod 'gobaith yn ffrydio'n dragwyddol yn y fron ddynol'.

A dyna homili fach ar y terfyn fel hyn yn null y pregethwr, gan un nad ydi o'n bregethwr o gwbl, na mab i un chwaith! Er nad ydw i yn barod i ymddiheuro 'run iot am hynny, nac am ddyfynnu geiriau'r Salmydd:

> Trugaredd yr Arglwydd yw na ddarfu amdanom.

Digroeso y lle

Bu'r siwrnai'n un flin, fe groeswyd sawl ffin
Wrth ddilyn y seren glaer wen,
Y tri ar gamelod dros dwyni a thywod
Nes daeth hi a sefyll uwch ben –
Y llwm lety gwael
Lle'r oedd baban yn cysgu mewn gwair,
Digroeso y lle ym Methlehem dre'
Pan aned mab Joseff a Mair.

Wrth breseb yr ych, nid yr un palas gwych
Y penliniodd y tri wrth ei grud
A chynnig anrhegion yn fawr eu gobeithion
Mai hwn oedd Gwaredwr eu byd.
Dim ond llwm lety gwael
A baban yn cysgu mewn gwair,
Digroeso y lle ym Methlehem dre'
Pan aned mab Joseff a Mair.

Roedd Herod yn ffromi cans roedd ef yn ofni
Yr arwydd a welwyd o'r nen –
Bu erlid drwy'r oesoedd, y baban orchfygodd
Yr Iesu byth bythoedd fydd ben.
Dim ond llwm lety gwael
A baban yn cysgu mewn gwair,
Digroeso fu'r lle ym Methlehem dre
Pan aned mab Joseff a Mair.

(gellir ei chanu ar y dôn *Home on the Range*)